TRADING IN THE ZONE

ゾーン

「勝つ」相場心理学入門

マーク・ダグラス
Mark Douglas
世良敬明【訳】

Pan Rolling

訳者まえがき

「Zone」をあえて訳してみると「明鏡止水の境地」となる。邪念のない落ち着いた静かな心境だ。ダグラス氏は「この心の環境は一貫して成功しているトレーダーに共通する能力であり、そして努力次第でだれにでも身に着けられる。しかしその習得には『普通』とは異なった思考法が必要となるため、トレーダーとして大成する人は非常に少ないのだ」と主張する。

本書の洞察は鋭く核心を突いている。第一〜三章で指摘されている敗者の条件は、まさに私自身がトレードで身をもって経験しており、「自分のことを言っているのではないか」と苦笑しつつ翻訳を進めたのを覚えている。もしこの感覚に同意していただけるのであれば、第四〜七章にある独創的な分析とトレードの真実に「なるほど」と納得してもらえるのではないかと思う。

また第八〜一〇章には、その真実を完全に受け入れ、しかも機能させるためのノウハウが、詳細な解説とともに提示されている。その創造的かつ合理的な説明から、本当の意味での自己規律の有効性を認識していただきたい。そして第一一章には、それまでの理解を踏まえて、実際にどのように取り入れるかの筋道が提供されている。その内容は非常に実践的で、訳者本人も練習生の一人である。率直なところ現時点での感想は「なかなか難しい」であるが、少なくとも自身の心理的弱点をはっきりと認識し、またトレードに対する考え方が非常に気楽になったのは確かである。

ダグラス氏の論理は、まず結論とキーワードを記してから、かなり遠くのほうへ話題を飛ばし、少しずつ元に戻ってくるような展開をする。その距離が壮大なため、戸惑いを感じる方もいるかもしれない。正直な話、訳者本人が何度かそのような経験をした。しかし気にせずに読み進んでいただきたい。そうすればある時点で「なるほどそういう意味だったのか」と優れた推理小説を読んでいるかのように、急に目の前が明るく感じ、より深く氏の説にうなずいてもらえるだろう。

本書に流れる思想は、私たちの東洋思想とかなり相性が良いように思う。例えば八正道（正見、正思、正語、正業、正命、正精進、正念、正定）の観点から読むと、より容易に理解できるのではないだろうか。何度読んでも新しい発見がある。そしてその多くは生活全般にも役立つ情報である。本書が読者の方の一助になれば、訳者としてこれ以上の喜びはない。

訳出に当たっては、友人のナオミ・バーコヴ氏にネイティブの視点から助言していただいた。辞書にない英語のニュアンスの解説だけでなく、彼女と文意について論じ合うなかで最適な日本語にひらめくケースが幾度となくあった。また株式会社ゼネックスの佐藤昌彦氏には、一読者の立場から原稿の不明瞭な点を指摘していただいた。本書が読みやすいものになっているとすれば、それは間違いなく両氏の優れた知性と協力のおかげである。この場を借りて厚くお礼を申し述べたい。ただし翻訳に関する全責任は、もちろん訳者の私にある。

翻訳の機会を与えていただいた益永研社長、成毛浩之専務をはじめMＫニュース社の先輩方にも感謝の気持ちを記しておきたい。研鑽を積む機会を提供してくれる仲間に、できるだけ良い仕事で報いたいと常に願っている。

最後に、本書の発行者である後藤康徳氏（パンローリング株式会社社長）、編集者の阿部達郎氏（ＦＧＩ代表）に深く感謝したい。両氏の傑出した決断力と迅速な行動力が、日本の投資家たちにどれだけ貢献しているかは、今日のウィザードブックシリーズの充実を見れば明らかである。

二〇〇二年一月

世良敬明

目次

http://paulatwebb.com

序文

米株式市場がかつてない大盛況を迎えたとき、それと比例するように活況を呈したのが「トレードで儲ける法」の解説書の出版である。なかには良書もあれば、そうでないものもある。独自のものもあれば、過去の発明の焼き直しにすぎないものもある。まさに玉石混淆だ。しかし、そうした混沌から時として他人とはまったく一線を画した、非凡な才能を持つ人材が現れる。その一人こそ本書『トレーディング・イン・ザ・ゾーン（Trading in the Zone）』の著者、マーク・ダグラスである。

本書は氏がライフワークとして積み重ねてきた歳月、思考、研究の集大成であり、トレードをなりわいとする私たちにとってはまさに究極の書だ。

本書では、トレードに挑む際に立ちはだかる数々の難問が徹底的に分析されている。「難問」というと、大半のトレーダーには利殖方法の研究しか思いつかないかもしれない。例えば、典型的な初心者にありがちなのは、売買判断に裏情報や営業マンのアドバイスなど利用しても一貫した成績は残らないと悟り、「自分が信頼できる売買戦略を開発するか購入するしかない」と理解するパターンだ。たしかにそうすれば金儲けができる。そしてトレードが楽になる「はず」だ。なぜなら売買戦略の規則に完全に従い「さえ」すればよいからだ。

ところがこのレベルになると、おそらくかつては意識していなかったようなことを実感し始める。トレードが、今まで直面した不快な体験のなかでも最もつらい体験の一つとなるのだ。そしてこの体験こそが、「先物トレーダーの九五％が一年で全資金を失う」という、よく引用される統計値の原因となっている。株式トレーダーにしても結果は基本的に同じだ。この体験が、「株式トレーダーの大半は、単純な買い保持シナリオ以上の成績を残せない」と専門家に常に指摘される原因となっているのだ。

ではなぜ多くの人が、その大半はほかの職業では大きな成功を収めているというのに、トレードでは悲惨な結果に終わってしまうのだろうか。成功は天性のものでしかないというのか。その考えをマーク・ダグラスは否定する。そして「一個人がトレーダー的心構えを習得すべきなのだ」と主張している。ただしこれは言うは易いが行うは難しい。なぜならこうした心構えは、日常生活で刷り込まれた世界観とまったく相いれないからである。

氏の指摘によると、私たちが成長期に学んだ「生きる術」を日常生活でどのように用いているか考えてみれば、この「敗率九五％」を理解できるという。学校で好成績を取るため、キャリアを積むため、他人との関係を築くために学んだ術、日常生活を維持するためにすべきだと教え込まれた術が、トレードでは不適当だというのだ。トレーダーは確率の観点から思考する方法を身に着けなければならない。そして生活のほとんどあらゆる面で実行するように教えられた術を、すべて放棄する技量を身に着けねばならない。本書で、マーク・ダグラスがまさにその方法を教えてくれる。実に価値のある本に仕上げてくれた。氏の知識の源泉は、トレーダーとしての個人的経験、シカゴでのトレーダー教育の経験、トレード書の著者としての経験、トレード心理学分野での講演経験である。

さあ、ぜひ本書『Trading in the Zone』の素晴らしさを味わってほしい。そして実践し、トレーダー的心構えを養っていただきたい。

トム・ハートル

はじめに

トレーダーならばだれしもが恒常的収益を目標としている。ところが、実際に一貫して利益を上げているトレーダーはほとんどいない。この現状を理解するにあたって、そのカギとなる根本的問題は何か。私に言わせれば、それは心理的要因にある。一貫して勝つ人間には、他人とは違った思考力があるのだ。

私がトレードを始めたのは一九七八年である。当時、ミシガン州デトロイト近郊で損害保険会社を経営していた。本業はいたって順調で、トレードでも簡単に同じくらいの成功を収められるだろうと思っていた。しかし残念ながら、そうはいかなかった。私は自分の結果にうんざりし、「ほかの仕事をしながらでは効率的にトレードはできない」と考え、八一年にシカゴに引っ越して、CBOT（シカゴ・ボード・オブ・トレード）のブローカーとしてメリルリンチ社に就職した。その結果どうなったか。そう、シカゴに引っ越してから九カ月もたたないうちに、ほとんどの財産を失ってしまったのである。無茶苦茶なトレードと生活スタイルで損失を出し、そのことがまたトレーダーとして多額の儲けを必要とし、さらにそこで損失を重ねる、という悪循環に陥ったのだ。

しかし、こうした初心者トレーダー時代に得た体験から、私は自分自身について非常に多くのことを学んだ。そしてついに悟ったのが、トレードにおける心理学の役割である。これが八二年に処女作『規律とトレーダー（パンローリング刊）』の執筆に取りかかった動機だ。当初は文章にまとめること、つまりある程度自分で理解していることを説明し、他人に有益な形にまとめる作業がこれほど難しいものだとは夢にも思わなかった。六～九カ月間で済むだろうと考えていた執筆作業に結局七年半を要し、九〇年にようやくプレンティス・ホール社から出版されたのである。

その間、八三年にメリルリンチ社を辞め、トレーディング・ビヘイバー・ダイナミクス社というコンサルティング会社を立ち上げた。現在では、そこでトレード心理学に関するセミナーの企画運営をしており、いわゆるトレードコーチの役割を担っている。世界中の投資会社、清算会社、ブローカー会社、銀行、投資カンファレンスでの講演活動を無数にこなし、個人レベルでもフロアトレーダー、ヘッジャー、オプションスペシャリスト、ＣＴＡ（商品投資顧問）、そしてもちろん初心者といった多種多様なトレーダーたちの相談に乗ってきた。

本書はその一七年間の集大成であり、トレードの根底にある心理的力学の変化を徹底解剖している。それは成功者となる原理原則を効率的に教授しようとしてきたなかで痛感してきたことなのだが、最も根本的なレベルで私たちの考え方には問題があるのだ。私たちの心の作用のプロセスがマーケットの性格とうまく合致していないのである。

売買に自信のあるトレーダーは、自分を信頼し、自分のすべきことを躊躇なく実行する。これこそ成功するトレーダーだ。マーケットの気まぐれな値動きを恐れず、不安を助長するような情報に気を取られるよりも、収益機会を伝える情報に神経を集中させる能力を身に着けている。

今はまだ困惑するかもしれないが、本書から以下にまとめたことを信念として身に着けてほしい。①利益を出すために次に何が起こりそうか知る必要はない、②何事も起こり得る、③どの瞬間も唯一のものである――すなわちどの優位性の結果も唯一無二の経験である――。トレードにはうまくいくときもあれば、そうでないときもある。結果がどうであれ、次に現れる機会を待ち、手順どおりに何度も何度も繰り返す。このやり方を通さなければ、自分の方法論(非ランダム的な売買プロセス)が機能するか否か分からないのだ。そしてまたそのやり方を一貫させるためには、無限の可能性を持つ市場環境から精神的ダメージを負わないだけの自己信頼の確立が同じくらい重要になるのだ。

大半のトレーダーは、自分のトレードの問題点がその考え方、つまりトレード中の思考内容の結果であると信じようとはしない。前著では、トレーダーに立ちはだかる問題点を精神面から明確にし、その問題の本質と存在理由を理解するための哲学的枠組みの構築法を解説した。

一方、本書で私が念頭に置いている主な目的は以下の五点だ。

●マーケット分析を質量ともに向上させたとしても、トレードの難しさは解決できず、一貫した結果は残せないことを証明する。

●自分の姿勢と「精神状態」がはっきり結果となって表れることを納得させる。

●勝者の心構えを確立するために必要な具体的信念と姿勢について説明し、確率的思考法を教授する。

●実際はそうではないのに、一般のトレーダーが確率的に考えていると確信する原因となっているさまざまな葛藤、矛盾、逆説を扱う。

●この思考戦略を心のシステムに取り入れ、本当に機能させるまでの手順を解説する。

（注　最近までトレーダーの大多数は男性であったが、女性トレーダーの数が増えているのも私は承知している。トレーダーを代名詞で指すときに便宜上「彼」を使っているが、これはけっして私の偏見を意味しているわけではない）

本書は、一貫した勝者となるために重大な意義を持つ心理的アプローチの提供を目的とするものであり、具体的な分析システムには一切触れられていない。私の関心は収益性のあるトレーダーになるために必要な思考法の提示にある。読者の方には、すでに自分のシステム、優位性があると思う。ちなみに優位性とは、「もう一方よりも結果の出る可能性が高いもの」という意味である。自信がつけばつくほど、実際のトレードが楽になるだろう。本書の意図は、トレーダーが自分自身ですべき自己洞察と自己理解、そしてトレードの本質の解説にある。これらを理解して身に着ければ、単にマーケットを観察しているだけのときや、単にシミュレーションしているだけのときと同じぐらい、実践が単純明快で気楽なものになるはずだ。

まずは現状でどれだけ自分に「トレーダー的思考法」があるかを明確にするために、以下の意識調査に回答してもらいたい。答え合わせはしない。しかしその回答は、現時点の自分の心の枠組みがトレードで最大限の利益を得るために必要な思考法とどれだけ一致しているか、はっきりさせてくれるはずだ。

マーク・ダグラス

意識調査

1. トレーダーとして稼ぐため、マーケットの次の展開を知る必要がある。
同意する　**同意しない**

2. 正直なところ、損を出さずにトレードする方法があるに違いないと考えるときがある。
同意する　**同意しない**

3. トレーダーとして稼げるかは、主に分析次第である。
同意する　**同意しない**

4. 損失はトレードするうえで避けられない要素である。
同意する　**同意しない**

5. 自分のリスクは常にトレードする前から決められている。

同意する　同意しない

6．マーケットが次にどうなるか発見するには常にコストがかかると肝に銘じている。

同意する　同意しない

7．勝てそうだと確信が持てない場合でも、次のトレードを仕掛けるのにまったく躊躇しない。

同意する　同意しない

8．マーケットについて、そしてマーケット動向について理解すればするほど、トレードの実行は楽になるだろう。

同意する　同意しない

9．自分の方法論は、マーケットがどのような状況になれば建玉や仕切りを実行するか、はっきりと教えてくれる。

同意する　同意しない

10. 途転のシグナルがはっきりと出たときでさえ、そのとおりに実行するのが困難である。

同意する　**同意しない**

11. 通常、一貫して成功する期間が続くのは、自己資金に何度かかなり深刻なドローダウンがあってからである。

同意する　**同意しない**

12. トレードを始めたとき、自分の売買法は無茶苦茶だったと言える。つまり多くの苦痛のなかで数回成功していただけである。

同意する　**同意しない**

13. よくマーケットが自分に対して個人攻撃をしてくると感じることがある。

同意する　**同意しない**

14. 忘れようと思えば思うほど、過去の心の傷を消し去るのが難しいことがある。

同意する　**同意しない**

15. マーケットで利益が乗ったとき、常にいくばくかの利益確保を基本原則とする資金管理哲学がある。

同意する　**同意しない**

16. トレーダーの仕事は、収益機会となるマーケット動向のパターンを明確にし、これらのパターンが過去にあったように動いているかどうか見極めるためのリスクをはっきりさせることである。

同意する　**同意しない**

17. 自分がマーケットの犠牲者だと感じざるを得ないときがある。

同意する　**同意しない**

18. トレードをするとき、常に一つの時間枠に集中しておこうとする。

同意する　**同意しない**

19．トレードで成功するためには、大半の人々よりもかなり柔軟な思考力を持つ必要がある。

同意する　　**同意しない**

20．マーケットの流れをはっきりと感じるときがあるが、たいていその感覚どおりに行動するのは困難である。

同意する　　**同意しない**

21．トレードに利益が乗って、その動きが基本的に終了したと分かっても、まだ利食いをしたくないことが多い。

同意する　　**同意しない**

22．トレードでどれだけ稼いだかにかかわらず、もっとできたはずだと感じ、滅多に満足しない。

同意する　　**同意しない**

23．トレードを仕掛けたとき、前向きな姿勢を取っていると感じる。予想するのは前向きなトレードから得た利益額だけである。

同意する　**同意しない**

24. 長期的に利益を積み重ねるために最も重要な能力とは、自分自身の一貫性に信念を持つことである。

同意する　**同意しない**

25. 「一つだけトレード技術を即座に身に着けられる」という願いをかなえてもらえるとしたら、どのような技術を選ぶだろうか。

26. マーケットが心配で眠れない夜をすごしたことがある。

同意する　**同意しない**

27. 機会を逃してしまうのが心配で、無理にでもトレードしなければならないと感じたことがある。

28. 滅多にないが、たしかに完璧なトレードは好きだ。会心のトレードをしたときは、うまくいかなかったときの感情を帳消しにするような心地良さを感じる。

はい　**いいえ**

同意する　**同意しない**

29. 計画しておきながら実行しなかったトレードがある。あるいは計画にないトレードを実行したことがある。

はい　**いいえ**

30. なぜ大半のトレーダーは利益を残せず、稼いだ利益を維持できないのか、数行で説明すること。

回答を保管し、本書を読み進んでもらいたい。そして最終章（「トレーダー的思考法」）を読み終えた後でもう一度、巻末にある意識調査に回答してほしい。そこでの回答が最初のものといかに異なっているかを知って、驚くかもしれない。

謝辞

特に、本書の第一～七章をまとめた自筆サイン入りの限定版を購入していただいたトレーダー全員に感謝の意を表したい。彼らからのフィードバックが、続く第八～一一章を執筆するきっかけとなった。

次にロバート・セイントジョン、グレッグ・ビーバー、ジョー・コーウェル、ラリー・ペサベントの友情と、四人が本書のより良い進化と執筆に大きく貢献してくれたことに感謝したい。

そして、原稿をチェックしてくれた友人のアイリーン・ブルーノに深謝したい。また、序文の作成に協力してくれたプレンティス・ホール社のバリー・リチャードソン、序文を快く快諾し、執筆してくれたトム・ハートルにも拝謝している。彼らの仕事ぶりと才能には感謝しても感謝しきれない。

第一章

成功への扉――ファンダメンタル分析か、テクニカル分析か、それとも心理分析か

The Road To Success : Fundamental, Technical, or Mental Analysis?

まずはファンダメンタル分析から

ファンダメンタル分析が売買判断の唯一無二の適切な手段であると考えられていた時代がいつごろであったか、ご存じだろうか。実際、私がトレードを始めた一九七八年当時、テクニカル分析は少数派であった。少なくとも大半の業界人にはバカにされていた。現在ではなかなか理解し難いことだが、ウォール街の主要なファンドマネジャーや機関投資家の大半がテクニカ

ル分析を占いのようなものだとみなしていたのは、遠い昔の話ではないのだ。

もちろん今では、まったく逆だ。圧倒的大多数のベテラントレーダーが何かしらのテクニカル分析を用いて自分の売買戦略をまとめている。一方、「純然たる」ファンダメンタル分析者は、ちっぽけな象牙の塔にひきこもった学者連中以外、ほとんど消滅してしまった。では、両者の立場が劇的に逆転した原因は何であろうか。

答えは非常に簡単だ。お金である！　驚くまでもない。厳格なファンダメンタルの視点で売買判断を下すトレードでは、基本的に収益を出し続けることが難しいのだ。

ここでファンダメンタル分析についてよく分からないという読者のために少し解説しよう。ファンダメンタル分析とは、ある特定の株式、商品、金融商品について、その潜在的需要と供給との均衡（不均衡）に変化を及ぼしそうな材料をすべて考慮しよう、というものである。さまざまな材料（金利、バランスシート、天候パターン、その他いろいろ）の意義に重点を置いた数理的モデルを利用して、分析者は価格が将来のある時期にどうなるかを予測するのである。

しかしこうしたモデルには問題点がある。材料としてほかのトレーダーを考慮していないのだ。価格を動かすのはモデルではない。将来に信念と期待を抱く人間だ。たとえ材料をすべて比較したうえでモデルが論理的に正当な予想をしたとしても、売買出来高に主体的な影響を持つトレーダーがそのモデルに気づかず、あるいはそれを信じようとしなければ、大した価値を持たないのである。

事実、価格に影響をもたらすと考えられるファンダメンタル的需給要因の概念を、実際に売買判断の中心に据えるトレーダーはほとんどいない。特に先物取引所にいるフロアトレーダーは、価格をかなり劇的に一方向から逆方向へと動かす力があるが、その売買活動の多くは、まったくファンダメンタルモデルの範疇にない感情的要素に対する反応によって拍車がかかる。つまりトレードをする人たち（そして結果的にその値動き）は、必ずしも論理的に動くわけではないのだ。

たとえ結果的にファンダメンタル分析者の「将来のある時点で価格がどこにあるか」という予想が正しかったとしても、その間に価格は大きく変動する。その目的を実現させるために建玉を維持するのは、不可能とは言わないまでもかなり難しいのだ。

テクニカル分析への転換

テクニカル分析は、マーケットが取引所に組み込まれたころから存在している。しかしトレーダーの世界では一九七〇年代末または八〇年代初頭ごろまで、利殖の道具として価値があるとは考えられてはいなかった。しかし以下の理由から、現在では業界関係者の必修事項として主流を占めるようになっている。

どの日、どの週、どの月にかかわらず、マーケット参加者の数は有限である。そして彼らの多くが利殖を期待して、同じような行動を何度も繰り返す。つまり各個人に行動パターンがある。そしてその個人の集まりが、首尾一貫してお互いに影響し合うため、それが集団的行動パターンを形成する。こうした行動パターンは、視覚的にも数値的にも識別可能であり、その繰り返しには統計学的信頼性がある。

つまりテクニカル分析は、集団的行動をパターンとして識別し、「あることが起これば次にこうなる」という可能性がより高くなるタイミングを明確にする方法なのだ。ある意味、過去にマーケットで生じた何かしらのパターンを根拠にマーケットの気持ちを読み取り、次の展開を予想する方法であると言える。

将来の値動きを予測する手段として、テクニカル分析は純然たるファンダメンタル分析よりはるかに優れている。単に数理的モデルによる論理的正当性を根拠に、「マーケットがどうなるべきか」に注目するのではなく、テクニカルトレーダーは過去に起きたことと比較して「今現在」マーケットで起きていることに注目している。一方、ファンダメンタル分析では、「そうあるべきこと」と「今起こっていること」との間に「現実とのギャップ」と私が呼ぶ格差が生じてしまう。この「現実とのギャップ」が、たとえその分析が正解であっても、超長期的な予想以外での利用を難しくさせてしまうのである。

対照的に、テクニカル分析にはこうした「現実とのギャップ」がないだけではなく、トレーダーが優位性を手にする可能性を、ほぼ際限なく提供してくれる。分、日、週、年とどのような時間間隔でも、可能性のある行動パターンがどのようにして生じるか、はっきりと設定できるのだ。したがってテクニカル分析では、売買機会を絶え間なくふんだんに発見できるのである。

心理分析への転換

テクニカル分析がそれほどうまく機能するならば、なぜマーケットのテクニカル分析から自分自身の心理分析、独自の売買哲学へと焦点を移すトレーダーが増えているのだろうか。その答えは、本書を買った理由を自分に問いかけてみれば分かるだろう。おそらく、テクニカル分析に無限の収益性があると分かっていながら、結局はそれほど儲かっていないという格差に不満があるからではないだろうか。

まさにそれこそがテクニカル分析の問題点である。パターン認識でマーケットを読む方法には無限の収益機会があると分かる。しかし知ってのとおり、マーケットについて理解した内容と、その知識を一貫した利益や堅調に上昇する損益曲線に反映させる能力との間には、大きな格差があるのだ。

例えばチャートを見て、「うーん。マーケットが上昇しそうだ（下落しそうだ）」と考え、そして実際にそのとおりになったものの、値動きを見る以外には何も行動できず、自分が手にできたであろう額に苦悩した経験が何度となくあったのではないだろうか。

何かがマーケットで起こるかもしれないという予測（そして稼げるかもしれない金額についての思惑）と、実際のトレードの建玉と仕切りという現実との間には、このように大きな格差がある。私はこの格差を「心理的ギャップ」と呼んでいる。そしてこれこそがトレードを最も困難な挑戦の一つにし、最も習得が難しい謎の一つとしているのである。

では、トレードは習得できるものであろうか。仮想トレードのような気軽さと単純さで、実際の建玉と仕切りは実行できるのであろうか。この根本的疑問に対する答えは、はっきりしている。「イエス」だ。そして本書の意図はまさにそこにある。自分について、そしてトレードの本質について、重大な洞察と理解を提供しようと思う。そうすれば、仮想トレードのような気軽さと単純さで、ストレスのないトレードを実行できるはずだ。

これを無理難題のように思う人もいるかもしれないし、不可能にさえ感じる人もいるかもしれない。しかしそうではない。実際、芸術的なトレードを習得した人は、可能性と現実との間にあるギャップをかなり埋めている。ただし、たしかにこうした勝者の数がごくわずかであるのも事実だ。大多数のトレーダーは、波のように激しい動揺や怒りを体験し、「なぜこれほどまでに一貫した成功を熱望しているのに確立できないのか」といった疑問を感じたまま終わっている。

実際のところ、この二つの集団（一貫した勝者たちとそうでない者たち）の差は、月と地球との差にたとえられるだろう。月と地球はどちらも同じ太陽系に属する天体である。その意味で共通点はある。しかし本質的・性質的に昼と夜のような違いがある。トレーダーでも同様だ。トレードを仕掛ければ、その人はトレーダーを名乗れる。しかし少数の一貫した勝者の性格と大多数の敗者の性格を比較したとき、そこにもまた昼と夜のような違いがあるのだ。

一貫して成功するトレーダーは月にたとえられる。月に達するのは可能だが、その旅はかなり困難で、達成できるのはごく限られた人たちだ。地球から見ると、月は基本的に毎晩観察できる。非常に近くにあるので、そこに手を伸ばせば届くかのように思えるほどだ。トレードも似た感覚だ。どの日、どの週、どの月でも、トレードを仕掛ける能力のある人であればだれでもマーケットに参加できる。そしてマーケットは絶えず動くため、損益もまた常に動く。したがって成功の可能性が限りなく広がっているように「見える」し、成功が掌中にあるかのように「見える」。

「見える」という言葉を使ったのは、この点が二つの集団を区別するのに重要だからである。実際に資金を掌中に入れ、ほとんど思いのままにしているのは、「一貫性への扉」と私が呼んでいるものを突破する方法を習得した、ほんのわずかな人たちだけなのだ。こう書くと、驚いて信じられない人もいるはずだが、これが真実である。限界はあるものの、資金の大半は難なくあっさりと、こうしたトレーダーの口座へと流れ込む。これが多くの人の感情を文字どおり混乱させてしまうわけだ。

しかし、このような選ばれた集団に仲間入りしていないトレーダーには、「見える」という言葉が、まさにそのとおりの意味を持つ。あたかも自分が望む一貫した収益や究極の成功が「眼前に」、または「掌中に」あるかのように見える。しかし何度繰り返しても、それはちょうど目の前にある蜃気楼のように消えてしまうのだ。この集団で一貫しているのは唯一、精神的苦痛だけである。たしかに意気揚々とする瞬間があるが、ほとんどの時間は恐怖、怒り、欲求不満、不安、失望、裏切り、後悔の状態にある。これは誇張して述べているのではない。

それでは、何がトレーダーを二つの集団に区別してしまうのだろうか。知性だろうか。単に一貫した勝利者は他人よりも賢いだけなのだろうか。それとも一生懸命頑張るからだろうか。分析が優れているからだろうか。売買システムが優れているからだろうか。トレードの激しいプレッシャーを簡単に処理できる生まれつきの才能に恵まれているからだろうか。

こうした考え方は非常にもっともらしく聞こえるが、実際は違う。トレードで失敗している人の大多数が社会的に名の通った聡明な人たちである事実を考えてもらいたい。一貫して負け続ける人々の大半を占めているのは医者、弁護士、エンジニア、科学者、経営者、裕福な退職者、創業者なのだ。また業界最高レベルのマーケット分析者の大半が、思いつくかぎり最悪のトレードをしている。知性と優れた市場分析はたしかに成功に寄与する。しかし勝者とその他を明確に区別する要素ではないのだ。

では、知性や優れた分析ではないとしたら、何だというのか。

最高のトレーダーと最悪のトレーダーに分類される人たちとそれぞれ仕事をしてきた経験、また最悪のトレーダーが最高のトレーダーへと変身するのを教育してきた経験から、私は最高のトレーダーがその他を凌駕し続けている理由を特定できたと断言できる。その理由を簡単に言えば、「最高のトレーダーは他人とは違った考え方をする」からだ。

だから何だと思うかもしれない。しかしこの「違った考え方をする」には深い意味が込められている。たしかに、多かれ少なかれ、私たちは他人と違った考え方をする。しかし一方で、出来事の理解や解釈を他人と共有しているという前提を当たり前だと思い込んでいる。この事実を私たちは必ずしも心に留めていない。実際、お互いに経験したものについて基本的・根本的に食い違っていると分かるまで、この前提を当然だと思い込んだままでいる。しかし身体的特徴だけでなく、考え方も人を個性的にする。むしろ身体的特徴よりもさらに個性的なのだ。

トレーダーに話を戻し、最高のトレーダーの思考法は、その他の苦戦している人たちの思考法と比べて何が違うのか考えてみよう。マーケットという闘技場は、各参加者に際限なく機会を提供する一方で、常につらく苦しい心理状態に直面させる。だれもがある段階で自分の分析方法を開発し、マーケットに売買機会が生じたタイミングを示す方法を習得するようになるが、だからといってトレーダー的思考法を習得できたわけではない。

一貫した成功者とその他を区別するはっきりとした特徴がそこにある。勝者はある種の心構え（独自の姿勢）を確立し、逆境にもかかわらず規律と集中力、そして何よりも自信を維持できるのだ。結果として、その他のトレーダー集団が悩むような一般的な恐怖や売買ミスに影響を受けずに済む。だれもが最終的にマーケットについて何かを学ぶが、一貫した勝者となるために絶対不可欠な姿勢を習得しているのは非常に限られた人たちなのだ。それはちょうどゴルフクラブやテニスラケットを振り、適当な技術をマスターしようと学ぶのはだれでもできるが、それを一貫できるか否かは、間違いなくその姿勢によるのと同じである。

「一貫性の扉」を突破した人は通常、マーケット環境に効果的に対応するそうした姿勢を身に着ける前に、大きな痛みを（感情的にも資金的にも）経験している。例外的にトレードの上手な家系に生まれた人や、トレードの本質を知り、また同様に重要なことだがその教授法を知っている人から教わってトレードを始める人もいるだろうが、その数はほんのわずかである。

なぜ精神的苦痛や経済的損害がトレーダーに共通しているのか。答えは簡単だ。ほとんどの人が、不幸にもトレードを始めるときに十分な指導を受けていないからである。しかしその理由を説明するのは非常に難しい。私はトレードの裏にある心理的力学を解剖し、成功の原理を教授する効果的な方法の開発に一七年を費やしている。そこで私が発見したのは、トレードが逆説と矛盾でぎっしり詰まっていることだ。それが成功法の習得を非常に難しくしてしまうのである。事実、トレードの本質をまとめた言葉を一つ選ばなければならないとすれば、「逆説」になるだろう（辞書によると、逆説とは矛盾した資質をもつもの、あるいは一般的信念や一般の人が理解しているものとは正反対のもの、という意味である）。

金銭的・精神的苦痛がトレーダーに共通するのは、日常生活ではまったく当然で、また非常によく機能する物の見方、姿勢、原理の多くがトレード環境ではまったく逆に作用するからである。つまりまったく機能しないのだ。これを理解せずに、大半の人々はトレードを始めてしまう。しかし彼らにはトレーダーになるという意味、必要な技量、そしてこうした技量を磨くのに必要なレベルについての理解が、根本的に欠けているのである。

分かりやすい例で説明しよう。本質的にトレードはリスキーだ。私の知るかぎり、結果が保証されたトレードはない。間違いや損失の可能性は常にある。ではトレードを仕掛けたとき、自分がリスクを負っていると考えられるだろうか。ひっかけ問題のように感じるかもしれないが、そうではない。

この問題に対する論理的回答は、絶対的に「イエス」だ。自分が本質的にリスクのある活動に従事しているのだから、「リスクテイカー」にならなければならない。これは完全に合理的な前提だ。事実、ほとんどすべてのトレーダーがそのように前提を置いているだけでなく、大半のトレーダーが「自分はリスクテイカーである」という考え方にプライドを持っている。

問題はこの前提が真実よりも深いレベルで受け止められていない点だ。もちろん、だれもがトレードを仕掛けるときにリスクを取っている。しかしだからといって、リスクを受け入れたわけではないのだ。すべてのトレードにリスクがある。なぜなら可能性に賭けているのであり、結果は保証されたものではないからだ。しかしトレードを仕掛けるとき、自分がリスクを取っていると本当に分かっているだろうか。トレードが何の保証もない可能性に賭けているものであると、本当に受け止めているだろうか。そして可能性の結果を十分に受け入れているだろうか。

答えは明らかに「ノー」だ。大半のトレーダーは、成功者のようなリスクの考え方（リスクテイカーになる意味）をまったく分かっていない。最高のトレーダーはリスクを取るだけではない。リスクを許容する方法を習得しているのだ。トレードを仕掛けたからリスクテイカーになったという前提と、各トレードに内在するリスクをはっきりと許容する考え方には、心理的に大きなギャップがある。リスクを十分に許容して初めて、その成果が自分の運用成績に大きく表れるのだ。

最上級者は何のためらいも葛藤もなくトレードを仕掛ける。そしてトレードが機能しなくても、同じくらい何のためらいも葛藤もなく、容易にその事実を認める。たとえ含み損で手仕舞っても、不愉快な感情は微塵も見せない。つまりトレードに内在するリスクで、自分の規律、集中力、自信を失うことはないのである。裏を返せば、不愉快な気持ち（特に恐怖心）でトレードしているのであれば、トレードに内在するリスクを受け入れる方法を学んでいないことになる。これは大きな問題だ。なぜならリスクが許容できない度合いとリスクを避けようとする度合いは比例するからだ。そして避け難いものを避けようとする試みは、トレードを成功させる能力に壊滅的な打撃をもたらすのだ。

どんなに努力しても、リスクを本当に甘受できるようになるのは難しい。特に何かを賭けているトレーダーにとっては非常に受け入れ難い。死ぬことや講演会への出演以外に、一般的に最も恐ろしいものを考えてほしい。損失と間違いは、両方ともそのリストの上位に位置するはずだ。したがって、間違いとそのうえに被った損を認めるのには、かなりの苦痛を感じる。たしかに避けたくなる。しかしトレーダーであるかぎり、これら二つの可能性には常に直面しているのだ。

　すると、こう考える人もいるかもしれない。「激しい苦痛があるという事実は分かるが、何かを間違えたり失ったりしたくないのは当然だ。だからこそ、それを避けるためにできるかぎりのことをするのが適切ではないのか?」。そのとおりだ。しかしこの考え方は、トレードを簡単にするように見えて、さらに難しくしてしまい、誤った行動をとる可能性が高いのだ。

　トレードには「常に不透明な将来に直面しているなかで、どのように自己規律、集中力、自信を維持するか」という根本的な逆説が存在する。まさにそのことを達成するには、トレーダー的「思考」法を習得しなければならない。そのトレーダー的思考法のカギとなるのが、リスクを完璧に許容できるように自分の売買行動を再定義する方法の習得である。つまり、リスクを許容する方法の習得は売買技術の習得なのだ。これは習得可能な最も重要な技術だ。しかしその能力開発に注目し、時間を費やしてその習得に努力するトレーダーは滅多にいない。

　リスク許容の技術を習得すれば、マーケットが発する情報に苦痛を感じることはない。マーケットが発する情報に精神的苦痛を受ける可能性がないならば、避ける必要がない。そしてマーケットが伝えている情報は何かしらの可能性にすぎなくなる。いわゆる客観的観点である。この観点では、この先どうなるか分からないからといって、その不安感から偏見や屈折した解釈をすることはない。

このようなミスの経験がないだろうか。マーケットが実際にシグナルを出すかなり前にフライングしてトレードしてしまった。マーケットが実際にシグナルを出したかなり後で出遅れてトレードしてしまった。損切りの決心がつかず、結果として損がより大きくなってしまった。あまりにも早計に勝ちトレードを手仕舞ってしまった。逆に勝ちトレードだったのに利益をすべて吐き出してしまった。さらにそのトレードを負けにしてしまった。建玉位置に逆指値が移動したために退場したものの、そのとたんにマーケットが自分の思惑の方向に反転した。これらは、トレーダーが何度も何度も繰り返す多くのミスのほんの一例でしかない。

しかし、これらはマーケットが生んだミスではない。こうしたミスはマーケットのせいではないのだ。マーケットは中立だ。マーケットは動き、情報を発している。値動きと情報は各個人に何かをする機会を提供する。しかしそれがすべてだ！　マーケットにはこの情報を理解・解釈する各個人の方法を阻害したり、彼らが下した決断や行動を支配したりする力などない。ちなみに、ここで言及したミスとは「誤ったトレードの姿勢と解釈」と私が呼んでいるものの結果にほかならない。そして誤った姿勢は、信頼や自信ではなく、恐怖を助長してしまう。

私には一貫した勝利者とその他大勢との差が、「最高のトレーダーは恐れない」という点以外にあるとは思えない。事実、彼らは恐れない。自分の観点から、マーケットが可能性を伝えているという予測に基づいてトレードの建玉と仕切りを実行するために、かなり高度で柔軟な心理を持った姿勢を確立しているからだ。そして同時に、無謀なトレードを防ぐ姿勢を確立している。一方で、その他の人たちは多かれ少なかれ恐怖心を抱いている。あるいは怖いもの知らずから無謀になり、結局はそこから、さらなる恐怖をもたらすような経験のタネをまく可能性がある。

目の前からまさにお金が蒸発したかのような気持ちになる、犯しがちなミスのうちの九五％は、間違い、損失、機会喪失、利食い失敗に対する自分の姿勢から生じる。これらを私は、トレードの四大恐怖と呼んでいる。

そこでこう考える人がいるかもしれない。「よく分からない。トレーダーは常にマーケットに健全な恐れを持つべきではないだろうか？」。繰り返す。これは完全に論理的かつ合理的な考え方である。が、ことトレードでは、自分の恐れていたまさにそのことが実際に起きてしまった場合、恐怖心は自分にとって不利に作用する。また間違いを恐れていたら、その恐怖心はマーケット情報の解釈に悪影響をもたらす。そしてその場合、何かしらのミスを犯してしまう原因となるのだ。

恐れていると、ほかの可能性を思いつかなくなる。たとえ努めて理解しようとしても、ほかの可能性を解釈し、適切な対処ができなくなる。なぜなら恐怖で固まってしまうからである。身体的には金縛りや逃げ出す原因となる。そして精神的には恐怖の対象へ目が行き、視野が狭くなってしまう。つまり、ほかの可能性についての思考や、マーケットから提供されるほかの材料を遮断してしまう。恐怖心が消え失せるか、あるいはその出来事が終わるまで、マーケットについて学んだ論理的なことのすべてを考えたくなくなる。そして後の祭りとなってこう考えるのである。「自分はそれを知っていた。しかし、なぜそのときそう考えなかったのだろう？」、あるいは「なぜ自分はそのときに行動できなかったのだろう？」と。

これらの問題の根源が自分自身の不適当な姿勢であると解釈するのは非常に難しい。恐怖心が油断ならないのはそこだ。トレードに不利な影響をもたらす思考パターンの多くは、日常生活で見たり考えたりするために養われた自然な対応なのだ。こうした思考パターンがあまりにも深く根づいているため、トレードを困難にさせる根源が自分の内部にある精神状態から生じているとは、まずたいていの人には分からないのである。実際のところ、彼らが外部（マーケット）に問題の根源を探すのはごく自然に思える。なぜならマーケットが苦痛、苛立ち、不満をもたらしているように感じるからだ。

これらは明らかに抽象的で、そしてたしかに大半のトレーダーは気にしそうにもない概念だ。しかし信念、姿勢、解釈それぞれの理解は、テニスのサーブの仕方を学んだり、ゴルフクラブの振り方を学んだりするのと同じぐらい、トレードの根本なのである。つまり一貫した成果を残したければ、マーケット情報を自分がどう解釈するか、その理解とコントロールが重要となるのだ。

　またその他にも、今述べた内容と同じくらい重要なトレードの真実がある。それは一回の勝ちトレードをつかむために、自分自身やマーケットについて何も知る必要がないということだ。ちょうどテニスラケットやゴルフクラブの適当な振り方を知らなくても、四六時中振っていれば良いショットが打てるのと同じだ。私が初めてゴルフをしたとき、特別な技術を何も学んでいなくても、ゲーム中、何回か良いショットを打った。しかし私のスコアは一八ホールで一二〇を超えていたのである。すなわち、私の全体的なスコアを改善するには、明らかに技術を習得する必要があったのだ。

　もちろん、同じことがトレードにも当てはまる。総じて成功するには技術が必要だ。しかしどのような技術かが問題である。これは効果的に売買法を学ぶなかで最も難しい面の一つだ。いかにマーケット情報の解釈に自分の信念や姿勢が影響をもたらしているか認識していなければ、あたかもマーケット動向が一貫した収益を阻んでいるように見えるだろう。そのため損失を避ける最善の方法をマーケット分析だと思い込んでしまい、一貫した収益はよりマーケットについて学ぶことから生まれると考えてしまうのである。

　この論理は完璧で理解しやすく思えるが、ほとんどすべてのトレーダーがある段階で陥るワナである。マーケットは、あまりにも多くの（そしてときには混乱するぐらいの）考え方を提供しているにすぎない。そして市場の動きを遮るものはない。いつでもどのようにでもなる。実際のところ、トレードしたい人はいつでもマーケットに参加できる。したがってどのトレーダーも何かを引き起こす当事者となる可能性があるのだ。

これはつまり市場動向についてどれだけ学ぼうと、どれだけ聡明な分析者になろうとも、すべてを予想する方法はけっして習得できないことを意味している。トレードに負けて、損をする可能性は常にあるのだ。したがって、もし負けて損をするのを恐れていたら、こうした恐怖心によるマイナスの影響を解消し、客観性と躊躇なき行動力を習得するのは無理である。すなわち、一貫した不透明性に立ち向かう自信がなくなるのだ。結果の不確実さは、トレードの冷たく厳しい現実である。この結果の不確実性を完全に受け入れる技能を習得しないかぎり、苦痛と認識したどのような可能性も、意識的・無意識的に避けようとするだろう。その揚げ句、何度も自らが犯したミスに見舞われ、高い代償を払う結果となるだろう。

ただし、売買機会を明確にし、それを発見するマーケット分析や売買手法がいらないと、私は言っているわけではない。たしかに必要だ。しかしマーケット分析は一貫した結果を残すカギとはならない。また自信の欠如、自己規律の欠如、不適当な視点で実行したトレードの問題を解決するものではない。

より多くの優れた分析が一貫した収益を生み出すという前提で行動すると、できるかぎり多くのマーケット材料を集め、自分の売買ツールの兵器庫に突っ込もうとしてしまうだろう。しかしそこから何が起こるか。マーケットに何度も繰り返し裏切られ、失望するのがオチだ。なぜなら、自分が見つけられなかったものや、十分に考慮していなかったものが常にあるからだ。そしてマーケットを信じられなくなるだろう。しかし現実には、自分を信用できなくなるのだ。

自信と恐怖は正反対の精神状態だが、両方とも信念と姿勢から生まれる。自分がリスクと考えている以上の損が容易に出やすい環境で成功するには、自分自身を完全に信用する必要がある。しかしその信頼感の確立には、一貫して成功するトレーダーの「自然とは逆の思考法」を身に着けなければならない。マーケット動向の分析法を習得したからといって、適切なトレードができるわけではないのだ。

つまりは二つの選択肢がある。一つは、できるかぎり多くのマーケット材料を研究してリスクを排除しようとするやり方だ。私はこれを分析のブラックホールと呼んでいる。なぜならそれは究極の不快感への入り口だからだ。もう一つは、自分が本当にリスクを受け入れたと言える方法で売買活動を再評価するやり方だ。そうすればもはや恐れるものはない。

本当にリスクを受け入れたという精神状態を確立すれば、苦痛を感じながらマーケット情報を定義・解釈する可能性はない。苦痛を感じながらマーケット情報を定義・解釈する可能性がなくなれば、自己正当化、躊躇、早まった行動、「マーケットが儲けさせてくれるだろう」とか、「マーケットが自分に損切りをする力がないのを助けてくれるだろう」といった希望的観測が排除できる。

理屈、自己正当化、躊躇、希望的観測、早まった行動から犯したミスに影響されやすいかぎり、自分で自分を信頼できなくなるだろう。客観的になれず、自分の行動を常に信頼できないのであれば、一貫した成績を残すのはほとんど不可能である。一見単純そうに見える試みに失敗したときほど、自分の行為のなかで最も腹が立つことはないだろう。皮肉にも、おそらく初心者のときに感じたようにトレードが簡単で単純なものとなるには、適当な姿勢で「トレーダー的心構え」を習得し、不透明なものに直面しても常に自信を維持できなくてはならないのだ。

その解決法は何か。まずトレードに適した姿勢と信念を習得する必要がある。そうすれば微塵の恐怖もなくトレードできる。しかし同時に、無謀になるのを防ぐため、枠組みを維持する。それこそがまさに本書の意義である。

本書を読み進めるときに、留意してもらいたいことがある。自分の理想像は、自分で成長させなければならない自分の将来像である。成長とは鍛錬、習得、新しい自己表現の方法の確立を意味する。たとえ自分がすでに成功しているトレーダーで、さらなる成功のために本書を読んでいるとしても同じだ。本書で新しく学んだ自己表現方法の多くは、現在自分が抱いているトレードの本質についての思想や信念と、まったく相いれないかもしれない。あるいはすでにこうした信念の幾つかに気がついているかもしれないし、そうではないかもしれない。いずれにせよ、トレードの本質について現在自分が真実だと信じていることが、自分の現状を（たとえその結果が苛立ちや不満であっても）決めているのだと分かってもらえるだろう。

このように、論点が内面的になるのは当然である。本書ではこうした論点をできるだけ効率的に解説したいと思う。そしてぜひ、ほかの可能性の存在を前向きに受け止めてほしい。今まで気がつかなかったかもしれない、あるいは十分に考えたことがなかったかもしれない可能性だ。そうすれば間違いなく習熟過程はより早くより楽になるはずだ。

第二章

トレードの誘惑（そして落とし穴）

The Lure (And The Dangers) Of Trading

一九九四年一月、私はシカゴで開かれたフューチャーズ・マガジン社主催のトレード・カンファレンスに講演者として出席した。そのときの昼食会で偶然、ある大手投資書籍出版社の編集者と隣り合わせになった。私たちは、なぜトレードで成功している人が非常に少ないのか、ほかの分野ではかなりの成功を収めている人でさえトレードで成功できないのはなぜか、活発に意見を交わした。そのときその編集者はこの現象について、「間違った理由でトレードをしているからではないでしょうか？」と聞いてきた。

魅力

私は少し考えをまとめる時間をとってから説明した。「トレードの典型的な動機として、活力、高揚感、英雄願望、勝利者の名誉、敗北者の自己憐憫が挙げられます。そしてよくこうした感情が問題となって、結果的に運用成績と成功を損なうと言われています。しかし実は、トレードの真の根本的な魅力は、より根深くて普遍的だと思います。トレードは制約のない創造的表現の自由を個人にもたらす活動です。そしてその種の表現の自由は、私たちの多くがその生活のほとんどで否定しているものなのです」

無論その編集者は、どういう意味か聞いてきた。「トレード環境では、ほとんどすべての規則を作るのは自分自身なのです」と私は説明した。つまり、自己表現を選ぶ方法に、ほとんど制約や限界がないのだ。もちろんいくらか形式的なものはある。例えば、取引所会員となってフロアトレーダーになる方法がある。あるいは、取引所の外から売買するのであれば、ブローカーに口座を開くため最低額の預託金を用意しなければならない。しかし、いったんトレードを開始する準備が整えば、どのようにアプローチするかという可能性には、ほとんど際限がないのだ。

私は続けて、数年前に参加したセミナーの話をした。「ある人が次のような計算をしました。その計算によると、債券先物、債券オプション、現物債券市場の組み合わせで、八〇億通りを超えるスプレッドができるのだそうです。これに大局的な相場観に基づいたタイミングの取り方を加えると、トレード方法は事実上、無限にあることになります」

「では、なぜそうした無限の環境にアクセスすると、結局は失敗してしまうのでしょう？」と、その編集者は少し考え込んだ後で聞いてきた。「それは無限の可能性のうえに、その可能性から優位性を得ようとする際限のない自由が加わり、個人に独特で特殊な心理的挑戦をもたらすからです。こうした挑戦を把握して、きちんとそれを処理しようと準備をしている人はごくわずかであり、ほとんどの人はそのことにすら気づいていません。その問題に気づきもしなければ、それを克服できるわけがありません」

自由は素晴らしい。私たちは皆、それを本能的に欲し、そのために戦い、渇望さえする。しかし、だからといって効果的に行動するだけの心的能力があるわけではない。むしろほとんど制約のない環境は、大きなダメージをもたらす可能性があるのだ。そこで求められるのは心の調整力である。学歴や知性や他分野で努力してどれだけ成功しているかではない。

この「調整力」を身に着けるためには、ある精神構造を心のなかに確立する必要がある。そしてこの精神構造がトレードの自由、そしてまさにその自由の結果から被る可能性がある経済的・心理的ダメージを絶妙に処理してくれるのだ。

しかしこの精神構造の確立は非常に難しい。特に、信じたいことと、すでに信じていることが対立している場合はそうだ。しかも、トレーダー志望の私たちにとって適当な精神構造の確立は、人生の非常に早い時期から発達し始める心理的反感の蓄積で、さらに難しくなっている。

私たちは皆、ある社会的環境のなかで生まれる。社会的環境（つまり社会）は家族、街、地域、国などの構造を持つ。この社会構造は規則、制限、境目、信念から成り立っているが、これらが個人の行動様式に制限を加えるため、社会構造のなかにいる個人が自分を表現できたり、できなかったりする。さらにこの社会構造による制限は、私たちが生まれる前から成立している。つまり、自己表現を支配するほとんどの社会構造がすでに存在し、しっかりと確立されているのである。

この構造を必要とする社会は、自己表現を求める個人と対立する可能性がある。そして売買技術を習得しようとしたとき、だれもがまさにその根本的矛盾に直面するのだ。

国や文化や社会状況に関係なく、この地球で生まれたすべての子供に共通する個性（自己表現の形式）とは何だろうか。そう、好奇心だ。すべての子供が熱心に学ぼうとする。小さな学習マシーンと言ってもよい。

では好奇心の本質を考えてほしい。最も根本的なレベルで、それは「フォース」だ。より厳密に言えば内から湧き起こる力だ。子供に何かを学ばせようと強制する必要はなく、放っておいても子供は自分で周りの環境を探ろうとする。その前提のうえで、この内から湧き出る力には、独自の計画があるようだ。つまりすべての子供に好奇心があるが、すべての子供が自然と同じものに興味を持つわけではないのだ。

だれもが心のなかに、ほかのものを排除して自分の意識をある対象やある経験に向けさせてしまうものを持っている。幼児でさえ、やりたいこととやりたくないことが分かっている。大人はよくこうした自己表現をする幼児を見て驚くが、これは幼児の心のなかに自我がないと決めつけているからである。自分の環境にあるものを好きだの嫌いだのと言って、個性を発揮しようとする。この内から湧き出る誘導原理を、私は「自然の誘引力」と呼んでいる。

自然の誘引力とは、まさにおのずと関心を持ったり、情熱的に関心を持ったりするものである。その種類は幅広く多様だ。そして各個人は、そこから多くのことを学び経験する。しかし各個人に、そこにあるものすべてを学び経験する自然の誘引力があるわけではない。私たちの心のなかには「自然淘汰」のメカニズムがあるのだ。

例えば、やっておきたいことや、まったく興味のないことを列挙できるはずだ。少なくとも私にはできる。また少しだけ関心があるもの、夢中になっているもの、そしてもちろん興味のレベルにまで至っていないものも、すべて列挙できるだろう。

情熱的関心はどこから生まれてくるのだろうか。私個人の見解では、深層心理、つまり自分の真のアイデンティティーのレベルから生まれてくるのだと思う。教育の結果として身に着いた個性や個人的特性を超越したものが、すでに自分の一部として存在しているのである。

危険性

この深層心理にこそ、矛盾が生じる可能性がある。つまり、自分が生まれた社会構造と内からの要求や興味が合致していたり、いなかったりするのだ。例えば、自分が一流プロスポーツ選手の家族に生まれたとしても、クラシック音楽や芸術に夢中になるかもしれない。たとえスポーツ選手としての素質に恵まれていたとしても、その競技への参加に本気になれないかもしれない。これが矛盾の生じる可能性だ。

典型的な家庭では、たいてい自分の兄姉や両親の足跡をたどるように、家族からかなり押しつけられるだろう。例えば、家族ができるかぎりその流儀や、運動能力の鍛え方を自分に教え込もうとする。そしてほかの関心事を真剣に追求させないようにする。自分も見放されたくないから、人の敷いたレールの上を走る。しかし同時に、他人の望みどおりにしている自分にしっくりこない。たとえ自分が学び、教わったことがスポーツ選手となるには有利だとはっきり分かっていたとしても、自分がだれだか分からなくなってしまうのだ。

そうなるように人から期待され教えられたことが、自分の深層心理と矛盾すると感じるのは、まったく珍しい話ではない。多くの人が家庭や文化的環境のなかで、まったくとは言わないまでも、かなり客観性に欠けた偏った教育を受けており、無理矢理に自己表現をさせられていると感じたことがあるのではないだろうか。

この周囲の理解の欠如は、単にやる気を奪うだけではない。自分らしい自己表現を完全に否定されたのと同じくらいの根深さがある。例えば、ありがちなケースを考えてみよう。生後間もない幼児が、コーヒーテーブルの上にある花瓶を指して「これ」と言う。これは好奇心、つまりその子にその物体を経験させようと、心のなかにあるフォースが働いている。そしてこのフォースは、言うなれば心のなかに自分が関心を寄せる目標で満たさなければならない真空を作ってしまう。この子は花瓶に注目し、計画的な意図をもって、果てしなく広い居間を通り抜けて、コーヒーテーブルへとはっていく。そしてそこにたどり着き、テーブルの縁に寄りかかって立ち上がろうとする。一方の手をテーブルの上に乗せ、しっかりと体を支え、もう一方の手を未体験の「これ」に伸ばす。そしてちょうどそのとき、部屋の向こうから金切り声が飛んでくる。「それに触っちゃダメ！」

その子はびっくりしてしりもちをつき、そして泣き始める。明らかに、これはよくある出来事であり、まったく避けられないものである。たしかに、子供にはどうしたら自分がケガをするのか、そして花瓶がどれほどの価値があるものなのか知る由もない。事実、何が安全で何がそうでないか、あるいは物の価値については子供が学ばねばならない重要な知識である。しかしここで作用した心理的力学は、その後の効果的なトレードに必要なある種の自己規律や集中力を確立する能力に、直接的にかなり重要な影響をもたらすのである。

自分がやりたいような自己表現の機会を否定されたとき、あるいは自然な選択過程と一致しないやり方で自己表現を強制させられたとき、何が起こるか。その経験は動揺を生む。「動揺」した状態とはつまり、不安定を意味する。では実際に何が不安定なのか。不安定な状態があるとすれば、初めは安定した均等な状態であったはずだ。何が違うのか。それは心のなかにある環境と、自分が経験してきた外部環境との一致の度合いである。

つまり要求や願望は心の環境から生まれ、外部環境で満たされる。これら二つの環境がお互いに一致していれば、心理的に安定した状態にあり、満足感や幸福感を得る。もし一致しなければ、不満、怒り、欲求不満といった通常は精神的苦痛とみなされる感覚を抱くのである。

では、なぜ自分の欲するものが得られなかったり、独自のやり方での自己表現を拒絶されたりすると精神的苦痛を感じるのだろうか。個人的見解では、要求や願望が精神的真空を生むからである。いつの時代も私たちの住む世界は、本質的に真空状態を認めず、それを満たそうと動くのだ（哲学者スピノザは数世紀前に「自然は真空を嫌い、足らざるを補う」ことを発見した）。

口を使ってボトルから空気を抜き出すと、舌と唇はボトルの口に張りついてしまう。なぜなら不均衡（真空）が生じたからだ。つまり満たさなければならない。「必要は発明の母」という表現の根底にある力学とは何か。「要求が精神的真空を生み、世界はこの真空を満たそうと感受性の強い人たちの発想を刺激する」という認識である。そしてその発想は行動や表現を促し、結果的に欲求を満たすのである。

この点で、私たちの心の環境の働きは普遍的だと考える。欲求・願望を認識すれば、外部環境の経験でその真空を満たすように行動する。しかし、この欲求・願望の対象を追求する機会を否定されたとき、私たちは文字どおり「何もかも失ってしまった」と感じ、不安や精神的苦痛へと追いやられるのである（私たちの精神も一度生じた真空は嫌うのではないだろうか）。まだ遊び終わっていないおもちゃを子供から取り上げれば（どれだけ正当な理由があったにせよ）、子供の普遍的な反応は精神的苦痛であろう。

一八歳になるまで、この地球でおよそ六五七〇日間生活していることになるが、典型的な子供の場合、毎日何度も以下のような文句を聞かされているのではないだろうか。

「ダメダメ、できっこない」

「そうやってはいけません。こうしなさい」

「今はダメ。考えておくよ」

「また教えてやるよ」

「無理だね」

「どう考えてもできっこないって」

「こうしておきなさい。それしかないんだから」

これらはほんの一例で、比較的上品な言い回しであるが、成長の過程で私たちは皆、このような文句で個人的表現を否定される。たとえ一日に一〜二回そのような文句を聞かされただけでも、大人になるまでには数千回の否定が積み重なっている。私はこの種の経験を「否定された衝撃」と名づけている。自己の根底から自然淘汰の過程を通して湧いてきた心の欲求に応じて、こうした衝撃を認識するのである。

このように否定され満たされないままの衝撃をどう処理するか。そのままにしておけば消え去るのだろうか。通常、私たちは心の環境を安定した状態に戻すため、ほかに何かしらの行動をとる。あるいはだれかに何かしてもらうことであきらめようとする。実際に多くのテクニックがあるが、最も自然な方法は（特に子供にとって）、ひたすら泣くことだ。

泣くことは、こうした否定され満たされていない衝撃を解消する自然のメカニズム（自然な方法）である。科学者の調査結果によれば、涙にはマイナスイオンが含まれているという。この自然の摂理が可能であれば、たとえ最初はその衝撃でけっして欲求が満たされなかったとしても、泣くことで私たちの心からマイナスのエネルギーを取り除き、安定した状態へと戻しているのだと私は考えている。

問題はたいてい、こうした自然の摂理が不可能な状態で、否定された衝撃をけっしてあきらめきれない場合だ（少なくともずっと子供のままではいられない）。子供（特に男の子）なら泣くような場合でも、大人はそうしようとせず、できるかぎりこうした振る舞いをしないよう我慢する。その理由はさまざまで、これはちょうど、なぜ子供たちに本人がやりたがらないことをやらせるのか、わざわざ説明しようとしないのと同じぐらい多くの理由がある。また、たとえ大人がそうしようとしても、その不安定を解決するのに十分な効果があるという確証はない。こうした衝撃を解消できないとしたらどうなるか。

それらが積み重なれば、結局は依存や強迫観念といった行動パターンとしてはっきりと表れる。基本的に、子供時代に何かしらの権利を奪われたと思い込んでいる人は、大人になって依存症に陥りやすい。例えば、周りの目が気になって仕方がないという人は少なくない。彼らは何とかして自分に注目してもらおうとする。その行為に共通する大きな理由は、自分が若いときに十分な注目を得られなかったとか、それが自分にとって重要だったときに得られなかったと思い込んでいるからである。いずれにせよ、その喪失感は解消されない感情のエネルギーとなり、無理やり依存状態になって満足させせようとする。ここが重要だ。なぜならこうして癒されなかった否定された衝撃（それはだれにでも存在する）が、集中力の維持と規律ある一貫したアプローチが要請されるトレード能力に影響をもたらす危険性を理解するカギとなるからである。

安全装置

トレード環境で効果的に行動するためには、その行動の指針となる規則と境目が必要である。大きなダメージを被る可能性があるのは、トレードの当然の真実である。そしてそのダメージが予想以上に深刻化する可能性もある。事実、トレードの損失リスクは無限だという例は枚挙にいとまがない。ダメージを受ける可能性を防ぐためには、特別な規律を持った精神構造を確立し、常に最善を尽くせるように行動する必要がある。この精神構造は自分自身で準備しなければならない。なぜなら社会と違って、マーケットは提供してくれないからである。

マーケットが提供する構造は、売買機会の存在を示す値動きのパターンである。しかしその構造は、単に指標をもたらすものでしかない。各個人が自分の行動指針を持つ以外、ほかに行動を律する形式化した規則はないのだ。そして私たちが参加するほかのどの活動にもあるような、始まりや中間や終わりといったものがない。

これは心理学的に深い意味のある重要な違いである。マーケットは一貫して流れる川のようなものなのだ。始まりや、終わり、一時停止はない。マーケットが引けたときでさえ、価格は依然として動いている。なぜなら寄り付きの値段が前日の終値と同じという決まりはないからだ。このような「境目のない」環境で効果的に行動するために適当な準備をしなければならないが、私たちの社会でそのようなものはほかにはない。

ギャンブルでさえ、トレードとはまったく違う。固有の構造を持ち、したがって危険性もかなり低い。例えば、ブラックジャックで遊ぶと決めたら、最初に賭金（リスク）の額を決めなければならない。これはそのゲームの規則で強制的にさせられる選択である。選択しなければ遊べないからだ。

しかしトレードでは、どのようなリスクがあるか、自分以外のだれも前もって強制的に決めてくれない。つまり際限のない環境にいるわけだ。そこでは実質的に、いつ何が起こってもおかしくない。そしてその環境で唯一勝ち続けているのは、トレードをする前にリスクを決めている人たちである。前もってリスクを決めてしまえば、トレードごとにそれが起こる可能性、つまり敗者になるという現実に否が応でも立ち向かわなければならない。負け続ける人間はたいてい「トレードがどのように良く見えても負ける可能性がある」という現実を受け入れず、逃避する。外部環境にはそうしたトレーダーに逆の考えを強制させるものはなく、自作の激しい言い訳、自己正当化、ゆがんだ論理（負けるはずがないと思い込んでトレードに手を出してしまうような）の影響を受けやすい。それでは、前もってリスクを決めておいても無意味である。

すべてのギャンブルには、あらかじめ決まった始まりがあり、中間があり、終わりがある。その繰り返しでゲームの結果が決まる。一度ゲームに参加すれば、好き勝手にやめられない。ある期間はゲームに参加している。しかしそれはトレードには当てはまらない。価格は連続した動きであり、トレードすべきだと自分が決めるまで、何も始まらない。やりたいだけ続けられる。終わりだと自分で決めなければ終わらない。何を計画しようが意図しようが、かなりの心理的要素が作用し始める。それは混乱を引き起こし、心変わりを生み、恐れや過信を生む。つまり一貫性も意図もない行動をとってしまうきっかけとなるのだ。

ギャンブルには形式的な終了があるので、参加者は「積極的な敗者」となる。つまり負けが込んでいても、「自分がそうしているのだ」という意識的な決断なしに連敗はできないわけだ。一つのゲームが終わり、新しいゲームが始まる。さらにリスクを取るには、財布に手を伸ばすか、テーブルの中央にチップを置くかして、積極的に賭けていかねばならない。

一方、トレードには形式的な終了がない。マーケットは自分に「トレードするな」とは言わない。常に自分にとって最適な資金管理法でトレードを終了させられるだけの精神構造を持たないかぎり、「消極的な敗者」となる可能性がある。消極的とは、トレードが含み損となって損をしたままでも何もする必要がない、先送りできるという意味だ。見る必要さえない。その状況を無視すればよいのだ。そうしてマーケットから、自分が所有するものすべて、そしてそれ以上のものを取り上げられてしまうのである。

トレードには多くの矛盾があるが、その一つは恩恵と災難が同時に与えられている点だ。恩恵とは、おそらく人生で初めて、自分の行動すべてを自分が完全に把握できることだ。災難はそうした自分の行動を指示したり律したりする恒久的規則や境目がないことだ。このトレード環境の無制限な性質において、少なくともある程度持続した成功を確立するためには、ある程度の抑止力と自己コントロールを持って行動しなければならない。自分の行動を導く精神構造が必要であり、それを自分の心のなかに自分の判断で意識的に生み出さなければならない。

しかし、ここに多くの問題点が生じてくるのである。

問題――規則を考えたくない

トレードに興味がある人で、一定の規則を考案するという概念に抵抗感を持たない人に出会ったことがない。その抵抗感は必ずしも明白ではない。それどころか通常はかなり無意識なものである。規則に理解を示す一方で、実際にはどのように説明されようと、そうするつもりがないのだ。この抵抗感は根深く、それには論理的な理由がある。

私たちの心の構造の大半は、他人が選択したものに基づいた社会教育の結果もたらされたものである。つまり、後天的に心のなかに組み込まれたのであり、最初から心のなかにあるものではなかったわけだ。この違いは非常に重要である。心の構造に組み込む段階で、自由な行動、自己表現、自分自身の直接経験を通して存在の本質について学ぶといった自然な衝動の多くが否定されている。これら否定された衝撃の多くをけっしてあきらめたわけではなく、欲求不満、怒り、失望、罪悪感、さらに嫌悪感が心のなかに依然として存在している。こうした否定的感情の蓄積が、心の環境のなかでフォースとして作用し、自由な行動、やりたいときにやりたいことをすることを否定するものに、抵抗感を引き起こすのである。

つまり、創造的表現に際限のない自由は、私たちがトレードに魅了される最もよくある理由となるが、また自分に最適な行動をもたらす規則や境目の確立に、自然と抵抗感を持つ理由となっているのだ。あたかも完全自由なユートピアを見つけたのに、だれかが自分の肩を叩いて「おい、規則を作れよ。それだけじゃない、それを我慢して続ける規律も持てよ」と言われているようなものなのだ。

規則は絶対に必要である。しかし、生活の大半にあるこうした規則から常に自由になりたいと思っているのに、自分からこうした規則を作ろうという気持ちになるのは難しいはずだ。慎重な資金管理法を構築し、それを一貫させるトレード規則を確立し、我慢して使い続けるには、抵抗感の根源を断ち切らねばならないが、それには非常に激しい苦痛を感じてしまう。

ただし、トレーダーとして成功するため、すべての過去の欲求不満や失望をあきらめねばならないと言っているわけではない。事実と異なるからだ。そして実際に苦しむ必要もない。一貫して自分の目標を達成している多くのトレーダーと仕事をしてきたが、何が何でも否定された衝撃の蓄積をなくそうとしていたわけではない。ただし、けっしておろそかにしてはならない。精神構造は、マイナスの影響をもたらす否定された衝動を補い、トレーダーとしての成功をより確かなものにする技術を確立する能力となる。したがってその構築にできるかぎりの努力を注ぎ、集中しなければならない。

問題――責任感の欠如

トレードとは、純粋かつ束縛のない個人的選択に対して、即座に結果が出るものとしてとらえられる。忘れてはならないのは、開始を決意するまで何も起こらないということだ。そして自分が欲するかぎり続き、終了と決めるまで終わらない。これら開始、中間、終了のすべてが、手に入れた情報の解釈と、その解釈にどのように従うか選択した結果である。私たちは選択の自由を欲している。しかし、その結果に対しての責任を受け入れる準備ができているだろうか。自分の解釈と行動の結果に対しての責任を受け入れる準備のないトレーダーは、以下のようなジレンマに陥る。完全なる選択の自由が許された活動に参加しながら、同時に自分の選択の結果が思惑と異なり、好ましくない結果となったときの責任をどのように避けるかというものだ。

トレードの厳しい現実はそこにある。一貫性を確立したいのであれば、結果が何であれ完全に自分に責任があるという前提から始めなければならない。トレーダーになる決心をする前に、ここまで強い責任感をはっきりと意識する人はほとんどいない。責任を避ける方法は、事実上ランダムな売買スタイルを取り入れることである。ここで言うランダムとは、計画性のないトレード、あるいはまったく計画されていないトレードをするという意味である。まったく系統立っていない方法で、星の数ほどある運用市場を検討する。それではどのような方法が一貫して、しっかりと機能しているのかどうか分からない。

ランダムとは、無責任で未確立な自由である。明確な計画がなく、無制限に変わるものでトレードするならば、自分の思惑どおりになっているトレードを称賛するのは非常に簡単である（なぜなら「何かしらの」方法はあるからだ）。そして同時に、思惑どおりにトレードがいかなかったときに責任を回避するのも非常に簡単だ（なぜなら常に自分が知らなかった変化があり、したがって前もって考慮できなかったからだ）。

仮にマーケットの動向が真にランダムなものであれば、一貫性を確立するのは難しい。一貫性の確立が不可能であれば、実際に責任を取る必要はない。この論理には問題がある。なぜならマーケットでの直接的経験が「そうではない」と教えてくれるからだ。マーケットには同じ行動パターンが、何度も何度も繰り返し現れる。個々のパターンの結果がランダムであるにしても、一連のパターンの結果は一貫している（統計的に信頼できる）のだ。これは逆説であるが、規律のある系統だった一貫したアプローチで容易に解決されるものである。

私は市場分析と翌日のトレードの準備に何時間もかけておきながら、実際には自分の計画したトレードを仕掛けずに、別のことをしてしまうトレーダーを数多く知っている。そのありがちな理由は、友人からのアイデアやブローカーからの裏情報である。そして得てして、もともと計画しておきながら結局実行しなかったトレードが、その日に大きな収益を出しているのである。これは、なぜ系統だっていないランダムなトレードに陥りやすいかという典型的な例である。責任を取りたくないのだ。

自分自身の考えで行動し、自分の下した判断にリスクを取る。そうすれば、自分のアイデアがどのように機能したか、即座にフィードバックできる。不満足な結果に言い訳しないのは、非常に難しい。逆に無計画にランダムにトレードを仕掛け、ひどいアイデアだと友達やブローカーを非難して、責任を転嫁するのは非常に簡単である。

本質的にトレードには、簡単に責任逃れができるほかの手段がある。その結果、精神構造の確立よりもランダムなトレードを選んでしまう。なぜなら、どのトレードにも勝つ（ときには大勝ちする）可能性があるという事実があるからだ。トレードには、自分が偉大なアナリストであろうがなかろうが、責任を取っても取らなくても、大勝ちするときがある。成功の維持に必要な規律ある方法を確立するには努力を要する。しかし知ってのとおり、こうした心の機能を避けて、規律なきランダムなトレードに逃げるのは、非常に簡単である。

問題――ランダムな報酬にのめり込む

サルにランダムな報酬を与え、その心理学的効果を分析した研究が幾つかある。例えば、サルにある調教をし、それをするたびに褒美を与え続けた結果、サルはすぐにその努力が特別な褒美と結びついていると分かる。しかし今度はその作業をしても褒美を与えるのをやめてしまうと、非常に短期間のうちにサルはまったくその作業をしなくなる。褒美がもらえそうにもないのに、やるだけ労力が無駄だと分かるからだ。

ところが褒美を一貫して与えるのではなく、完全にランダムなスケジュールで与えた場合、褒美がもらえなくなったサルの反応はまったく異なってくる。褒美を与えるのをやめても、その作業をしてももう二度と褒美がもらえないとは、サルには分からない。そして褒美が与えられるたびに、その褒美はサルにとって嬉しい驚きとなる。その結果、サルの頭から仕事をサボる理由がなくなるのだ。たとえそれをして褒美がもらえなくても、サルはひたすらその作業を続ける。場合によっては、永久的に続けるだろう。

なぜランダムな褒美にのめり込みやすいのか、はっきりとは分からない。想像するに、予想外の嬉しい驚きがあったとき、脳内に自己陶酔をもたらす化学作用があるからではないだろうか。褒美がランダムだと、いつそれを受け取れるか、はっきり分からない。しかし素晴らしい喜びの感情を期待して、労力と能力を費やすのが苦にならない。事実、こうしたものにおぼれてしまいやすい人は多い。その一方で、特別の結果を期待しそれがなかったとき、失望して気分を害してしまう。しかし、再度それをして同じ失望の結果となれば感情を害すると分かっているのに、その作業をし続けようとする。

何であれ、こうした依存症に潜む問題は、「選択肢がない」状態におかれている点だ。心理状態を支配している依存症の状態と同じ程度の集中力や努力が、その依存症の目的を満たすために向けられるだろう。いつでもほかの必要性（自分を信用する必要性や、あまりにも多くの資産をリスクにさらさないようにする必要性など）を満たす機会があるのに、その可能性は無視して捨て去ってしまう。その依存症を満たす以外の行動には無気力になってしまう。ランダムな報酬の依存症はトレーダーにとって特に面倒な問題だ。なぜなら、一貫性を生む精神構造の確立に障害となる理由の一つとなるからだ。

問題――外部支配VS内部支配

教育は、私たちが社会環境に適応するようにプログラムされている。つまり社会的相互関係にかみ合うように、自分の要求、希望、願望を満たせるような思考戦略を習得している。自分だけでは完全に満たせない要求、希望、願望を満たすための相互依存を学んでいるだけではなく、その発育過程で、他人に自分の欲求と一致するように行動させることを確かにする多くの社会的支配と操作テクニックを習得している。

マーケットは社会的挑戦と言えるかもしれない。なぜなら非常に多くの人が参加しているからだ。しかし実際はそうではない。基本的要求を満たすために相互依存を学ぶのが現代社会だとしたら、市場環境は（たとえ現代社会の中心に位置するとしても）心理学的未開地として特徴づけられる。そこではだれもが真の意味で、自分の身は自分で守らなければならない。

自分のために何かしてくれるのをマーケットに頼れないだけではない。不可能とは言わないまでも、マーケットを支配して操作するのは非常に難しい。自分の環境を支配し操作する方法があれば、要求、希望、願望を効果的に満たすのは可能だ。しかしトレード環境に足を踏み入れて、はっと我に帰る。だれも自分に大切なことを教えてくれない。注意してくれない。反応してくれない。まさに「パドルなしで川を漕ぐ」ということわざにあるように、だれも助けてくれず、どうしたらよいのか分からない、お手上げの状態だ。

非常に多くの成功者たちが、トレードでは悲惨な結果に終わってしまう大きな理由の一つとして、まさにその成功が、自分の欲求に適応させるために社会環境を操作・支配する能力に長けていたからだと考えられる。私たちは皆、ある程度、外部環境を自分の内部環境に合わせようとする術を習得したり開発したりしている。問題はこうした技術にマーケットで通用するものはない点だ。マーケットは（自分が非常に大口のトレーダーでないかぎり）支配や操作に応じたりしない。

しかし、私たちはマーケット情報の理解や解釈を支配できるだけでなく、自分の行動を支配できる。自分の思惑どおりに展開させようと外部環境を支配する代わりに、自分自身を支配する方法を習得できる。そして、最も客観的な将来の可能性から情報を理解できる。さらに、常に自分に最適な資金管理方法にのっとった行動をとるため、自分の精神環境を確立できる。

第三章
責任を取る
Taking Responsibility

「責任を取る」と口で言うのは簡単だ。しかしその概念をつかみ、トレードで実践するのは容易ではない。たしかに日常的によく耳にする言葉であり、実際に責任を取る必要性に直面するときは幾度となくある。しかしそのために、その意味をはっきり理解していると思い込んでしまっている。

トレードで適切な成功原理を習得するには、責任の取り方が絶対に重要だ。トレーダーとして大成するには、いかに自分で責任を取れるかということにかかっているのだ。これを絶対に理解してほしい。責任を取った人だけがマーケットで成功を収め、選ばれた勝ち組入りが可能となるのである。

第一章の終わりに「自分の将来の姿を投影させる」というアイデアを紹介した。換言すれば、自分が理想とする「一貫して成功するトレーダー像」は、まだ実在していない。ちょうど彫刻家がモデルの生き写しを創造するように、自力で新しい自分を創造する必要がある。

心の環境を形成する

新しい自分を創造するために利用する道具にあたるのが、習得しようとする意欲と願望だ。そして成功への情熱がその原動力となる。では意欲と願望が基本的な道具だとしたら、その材料は何か。彫刻家にはたくさんの材料（粘土、大理石、金属など）があり、そのなかから選べる。しかし、一貫して成功するトレーダーとして新しい自己表現を創造するための材料は唯一、自分の信念と姿勢しかない。そして芸術的努力によってこの材料は心の環境を形成する。つまり、習得しようとする意欲を持って、トレードに適した信念と姿勢を心の環境に取り入れ、そして自分の心の環境を再構築する。こうして最終的目標が達成されるのだ。

最終的目標とは一貫性である。大半のトレーダーは、可能性に満ちた売買機会が自分の手に届くところにあるとは気づいていない。できるかぎり多く、そして常にその可能性に気がつくためには、最初の目標として、一貫して成功するトレーダーの思考法を習得する必要がある。

忘れないでもらいたいが、最高のトレーダーは多くの独特な考え方をしている。彼らはその一つとして、恐れずにトレードを実行し、また同時に軽率なトレードと恐怖心によるミスを防ぐ心構えを習得している。この心構えには多くの構成要素があるが、まず注目すべきは、成功者が恐怖心や軽率さの悪影響をトレードからほぼ完全に取り除いている点だ。軽率なトレードと恐怖心によるミスの排除が、一貫した収益の達成を可能にしているのだ。

このトレーダー的心構えが身に着けば、恐れずにトレードできるようになる。したがって、もはや恐怖心による多くのミス（例えば、自己正当化、潜在意識による情報の歪曲、躊躇、早とちり、希望的観測）を犯さずに済む。換言すれば、恐怖心が消え失せればこうしたミスを犯す理由がないので、ミスが自分のトレードからなくなるわけだ。

ただし恐怖心の排除は、勝利の方程式の一方でしかない。もう一方を得るためには、自制心を育む必要がある。最上級のトレーダーたちは、連勝による自己陶酔や過信の悪影響を防ぐために、内面的規律や精神構造の習得が不可欠だと理解している。自分をどのように監視し制御するか習得していなければ、勝ちトレードは非常に危険なのだ。

一貫したトレーダーになるためには、ひたすらこうしたトレーダー的心構えの育成に励むべきなのだが、ここから、なぜ大多数のトレーダーが成功しないのか、その理由を簡単に説明できる。彼らはどのようにマーケットを研究すれば儲けられるかを考えている。トレーダー的思考法を習得しようとは考えていないのだ。ほとんどの人がこのワナに落ちる。「マーケットについて知らないことがあるから損をしてしまう。だから一貫した結果を残せないのだ」と考えてしまい、多くの心理的要因を安易に扱ってしまうのである。

しかし、事実はまったくそうではない。私たちが探し求めている一貫性は、自分の心のなかにある。マーケットのなかにはないのだ。ほとんどの損失の原因が、浮かれているときの間違いや損失、軽率なトレードを犯す姿勢と信念にある。分析技術でもマーケット知識でもない。

例えば、以下の二人のトレーダーのうち、どちらか一人に資金運用を任せるとしたら、どちらを選ぶだろうか。一人は単純で、どう見ても二流の売買戦術だが、無意識にゆがめられたマーケット情報、躊躇、自己正当化、希望的観測、早とちりの影響を受けない心構えがある。もう一人は、驚異的な分析家だが、前者が解決している典型的な心理的弊害すべてに左右されてしまう。正しい選択は明らかだ。前者のほうが比較的良い結果をもたらすであろう。

正しい姿勢は、分析や戦術よりも総体的に良い結果を生む。もちろん、両方あれば理想的だ。しかし実際には両方の必要はない。正しい姿勢（正しい心構え）を習得すれば、トレードに関するその他すべてが、比較的楽に、さらに簡単に、そして間違いなくもっと楽しくなるからである。この論理を信じられない読者の方もいるだろう。特にマーケットについて何でも学ぼうと何年も苦戦していれば、悩む気持ちも分かる。

興味深いことに、トレード経験に乏しい初心者は、たいていこの理想とする思考法に近い。これは初心者がトレードに内在する危険性を非現実的なものとしてとらえているからだ。特に最初のトレードに勝った場合はそうだ。すると得てして次のトレードも、ほとんど（あるいはまったく）恐れずに仕掛ける。そしてさらにそのトレードに勝った場合、許容できる損失の可能性についてはほとんど考えず、次のトレードを仕掛ける。何度も勝ちが続くと怖いもの知らずとなり、トレードは最も楽に金儲けできる可能性に満ちたものであると確信してしまう。

恐怖心がない状態は、無心の精神状態とも言える。それは多くのスポーツ選手が「ゾーン」と呼ぶ精神状態に似ている。今までにスポーツでゾーンを経験した機会があれば、完全に恐怖心のない精神状態がどのようなものであるか分かるはずだ。ただ直感的に行動し、反応する。選択肢は検討しない。結果は気にしない。悩まない。ただその瞬間に「するだけ」なのだ。やるべきことを、そのとおりにやっているのである。

大半のスポーツ選手が、この競技レベルに到達せずに引退する。ミスを犯す恐怖を払拭できないからだ。スポーツ選手は常に、そしてまったくの自然体で、ミスによる結果を恐れる気持ちが皆無になったとき、「ゾーン」へと達する。この心理的ゾーンは、その気になって無理をすれば達するという精神状態ではない。自力で発見した自分の精神状態は、本質的に創造的なものであり、常に論理的・意識的レベルでの行動で考えていては思いつくものではないからだ。しかし自分を無理に追いやってゾーンに達することが不可能であっても、ある精神状態を築き、前向きに勝つ姿勢を養えば、「ゾーン」への近道に立つことができる。前向きな勝つ姿勢とは、自分の努力に対して前向きな結果を期待する姿勢である。そして実際の結果がどうであれ、その結果が自分の成長のレベルを反映し、また改善のために必要なものは何かを正確に反映していると受け止める姿勢である。

偉大なスポーツ選手は、まさに勝つ姿勢を身に着けており、楽々とミスを乗り越え、前進し続けている。一方、その他大勢は否定的な自己批判、後悔、自己憐憫に陥る。前向きな勝つ姿勢を育んでいる人はそうはいない。トレードの不思議な矛盾は、自分のトレード歴が勝利で始まった場合、この勝つ姿勢の副産物である無心状態を、そうした姿勢を育まなくても自動的に経験できるところにある。言っている意味が難しいかもしれないが、ここは重要なところだ。

いくらかトレードに勝つと、成功に不可欠な要素である無心状態になる。ところが適切な姿勢で発見したものでなければ、そこで得たものはトレードの本質をかなり誤解してしまう原因となり、必然的に感情的・資金的災いをもたらす結果となるのだ。

いくらか（あるいはたくさんの）勝ちトレードを収めると、一貫して成功するトレーダーになれたと考えてしまいがちだが、それは違う。それだけでは、一貫性のレベルで大成功した人だけが経験できるような心理状態を経験しているとは言えないからだ。実際のところ、一回のトレードに勝つためには、まったく何の技術もいらない。何の技術もなくトレードに勝てるのであれば、さらに一度や二度、勝ちを収めても不思議ではない。事実、トレードを始めたばかりのときに相当数の連勝経験を持つ人を数人知っている。

自信を持ち、恐怖や不安の邪魔もなければ、連勝は難しくない。なぜならある意味、自然なリズムで、すべきことが明らかなところで仕掛けられるからだ。まるでマーケットが買い時と売り時を大声で教えてくれているかのようで、分析を洗練させる必要はほとんどないと感じている。そしてもちろん恐怖がないので、内的葛藤や煩悶もなくトレードを実行できる。

要は、どのように努力して勝っていたとしても、ほとんどが姿勢のおかげなのだ。たしかにこの事実に気がついている人は少なくない。しかし同時に、姿勢が結果に果たした重大な役割を理解している人は多くはない。たいていの競技・競争では、参加者は戦略的に、身体的技術だけでなく精神的技術を向上させなければならない。もし対戦者が対等の技術レベルでなければ、普通は（必ずしも絶対ではないが）技術的に上のほうが勝つ。しかし、弱者が強敵を倒したとしたら、何がその要因となるのか。あるいは同レベルの二人が戦ったとき、勝敗を分ける決定的な要素は何か。どちらの場合もその答えは「姿勢」なのだ。

トレードを魅力的なものにして、また同時にその習得を難しくさせているのは、本当は多くの技術を必要とするからではなく、はっきりとした正しい勝つ姿勢が必要であることだ。いくらかの勝ちトレードの経験は、まるで真の勝利者が持つような感覚をもたらす可能性がある。そしてその錯覚が連勝を持続させる。だからこそ、初心者は連勝を収めることが可能なのだ。業界最高のマーケット分析者の多くは、連勝するために全力を尽くすだろう。彼らには技術がある。ただし勝つ姿勢がないため、行動を恐れる。一方、初心者は勝つ姿勢がもたらす感覚を経験している。怖いもの知らずだからだ。しかしそれは勝つ姿勢ではない。単に恐れを抱かせるような苦痛をトレード活動から経験していないだけなのだ。

損失への対応

初心者トレーダーは結局、どんなに感情が前向きでも、いつかは損失を経験したり負けたりする。損失と負けはトレードに必然的な現実だ。できるかぎり最高の分析力と最も前向きな姿勢でも、結局は負けトレードを阻止できない。マーケットはかなり不規則であり、トレーダーが考慮できる材料は無限にある。したがって、毎回正解することなどあり得ないのだ。

ついに負けてしまったとき初心者の心理に何が起こるか。無心の状態にどのような影響をもたらすか。その答えは、仕掛けたトレードへの期待度によるし、いかに経験を解釈するかによる。そしてその経験をいかに解釈するかが、信念と姿勢の役割なのだ。

損失は避けられないという信念を持たずにトレードしているとしたら大変である。なぜなら損失はトレードの当然の結果であり、レストランのオーナーが食料品の購入にかける費用と同じようなものだからだ。資金的にも感情的にも自分に不利な値動きの可能性を覚悟して、初めてリスクを完璧に許容したと言える。こうした信念と予測であれば、姿勢は悪化せずに済むだろう。そして淡々と次のトレードへと進む。これこそトレードの信念と姿勢の理想形の一つである。

一方、リスクを完全に受け入れていない場合を考えてみよう。自分の思惑とは逆の値動きを考慮せず、ただ期待するだけならどうなるだろうか。この精神状態では、マーケットが自分の思惑どおりにならなければ、精神的苦痛を味わう結果となる。期待とは、その環境が将来どうなるか、聞こえるか、感じるか、におうか、味わえるかに対する自分の心の表現である。その期待の裏にどれだけのエネルギーがあるかによって、それが満たされなかったときの傷が大きくなる。

リスクの甘受、あるいはリスクの拒絶、初心者にあり得るパターンはどちらだろうか。もちろん後者だ。非常に優れたトレーダーは、前者のシナリオにあるような観点を身に着けている。そして第一章で述べたように、成功したトレーダーの家系に育ったか、指導者にスーパートレーダーがいたか、自分が（リスクと損失に対する適切な姿勢がその経歴の非常に初期から刷り込まれている）非常に優れたトレーダーでないかぎり、一貫して成功するための思考法に気がつく前に、ほとんどだれもが皆、何度か幸運を逃した経験があるだろう。

自分の姿勢を根本的に変えることこそが成功には不可欠なのに、ほとんどの人が誤った確信で、マーケットに幾つも聡明な発見をしようとする。この誤解は、トレーダーの間に広く蔓延している。本当に高次元のレベルで、いかに姿勢こそが成功を決める重要な要素であるかを理解している人は、ほとんどいないのだ。

損をすると、間違いなく初心者は精神的苦痛を受ける。その結果、トレードはまったく新しい質を帯びてくる。無心な精神状態を完全に失うだろう。そこでより重大な過ちを犯す。「マーケットが自分の経験している苦痛をもたらした原因である」「マーケットは自分に損をさせて勝利の感覚を奪い取った」と、マーケットの責任にしてしまう感覚だ。

損失や得られなかったものに対して、このトレーダーがマーケットをどのように非難しているか注目してほしい。またそのような感覚がいかに自然なものであるかを理解してほしい。日常生活で、特に子供時代、心から何かを楽しんでいたとき（例えば、おもちゃや友達と遊んでいたとき）、自分より腕力や権力のある人によって、強制的に自分のやっていたことをやめさせられて、自分のやりたくないことをやらされた経験が何度あったか考えてほしい。だれもが皆、物を失ったり、何かを取り上げられたり、自分のやりたいことや自分には価値があると信じていることを否定されたり、まだやっている最中で続きをやめさせられたり、自分が夢中になっているアイデアの追求を阻まれたりした経験があるはずだ。

注目してもらいたいのは、こうした状況の多くで、起こった事態や経験した痛みに対して、自分が責任を取る必要がない点だ。なぜなら不可抗力だからである。喜びや幸福の状態から精神的苦痛へと追いやられても、選択の余地がない。その下された判断は自分の意思に反するものであるが、自分の手の届かないところから得てして突然降りかかる。しかも、たとえ「自分の身に起こっていることに責任を持っている」と発言したとしても、それを心から信じていなかったり、その意味を分かっていなかったりする可能性がある。

考えてみればすぐに分かるが、最も容易に関連づけができるのは、楽しんでいたことと、だれか（何か）がその楽しみを取り上げ、苦痛をもたらしたことである。痛みの原因は自分の選択からではなく、外部から強制的にもたらされた。したがって、自分に影響を与えた強制的なものが何であれ、即座にそのせいにする。上機嫌な気持ちが、自分の責任ではないもののせいで、瞬間的に不機嫌な気持ちに取って代えられただけではない。裏切られた気持ちになる。こうした状況の多くが完全に思いもよらないものであった（つまり同じ社会に住む人たちが予想外の行動をするという可能性に、心の準備ができていなかった）ために、裏切られた気持ちになるのだ。もし彼らの行動が精神的苦痛の状態へと追いやる原因となれば、裏切られたと感じるのはまったく自然であろう。

ただし過去に起きた精神的苦痛の経験の多くは、面倒見の良い両親、教師、先輩からもたらされている点に触れておく必要がある。その多くは自分の信念から最適な行為をしているだけである。例えば、危険なおもちゃで遊んでいる子供がそのおもちゃを取り上げられると、その子は自分が経験した精神的苦痛を表現するために泣くだろう。そして非常に幼い子供の場合、なぜそのおもちゃで遊べないのか、正当な理由は聞かされていないだろう。

しかし同時に、多くの人が未完成で理性的でない両親から生まれる。あるいは感情の激しい教師、コーチ、先輩に出会う。彼らは無意識に、あるいは意図的に自分の個人的問題を、自分より力の弱そうな人に向ける。さらに卑劣なことに、他人を苦しめようとする傾向のある人の多くが、犠牲者にその苦痛を引き起こした原因が本人にあると信じさせるだけの狡猾さを持ち合わせている。自分の苦痛の経験が恋愛の結果によるものであれ、意図的ないじめによるものであれ、何であれ、各個人がその苦痛の理由を自分で判断しなければならないのだ。

要は、大人になってトレードを始めたとき、トレードで生じた喜びから痛みへの瞬間的変化を、子供時代によく経験したような喜びから痛みへの瞬間的変化と同じように理解してしまうのを、当然としてしまっている自分に気がついていないのだ。もしトレードに潜むリスクを許容する方法を習得していなければ、そしてもし過去の経験とトレードでの経験を同様に理解してしまう傾向に警戒する術を知らなければ、結局は自分の結果に対して責任を取れずに、代わりにマーケットを非難するであろう。

トレードをする人の大半が「自分を責任ある大人だ」と考えていたとしても、実際にある特定のトレードの結果に完全に責任が取れるレベルにまで達しているのは、非常に優れたトレーダーだけである。その他大勢は程度の差こそあれ、自分が責任を取っていると思い込んでいるだけで、現実にはマーケットに責任を転嫁している。なぜなら典型的なトレーダーは、マーケットに自分の思惑、希望、夢をかなえさせようと望むからだ。

社会ならこのように機能するかもしれないが、マーケットは明らかにそうはならない。社会ならば他人に対して聞き分けの良い、責任を持った行動を人に期待できる。そうでなければ、そして結果的にそれが自分の苦痛となれば、社会がその不安定を矯正し、もとの平穏を取り戻してくれる。しかしマーケットには、自分に利益をもたらしたり、物を与えたりする責任はない。このようにマーケットを表現することは適当ではないかもしれないし、たしかにマーケットが意図している効果ではないかもしれないが、現実問題として、どのトレーダーも自分自身の利益のためにマーケットに参加している。トレーダーが利益を出す唯一の方法は、ほかのだれかが損をした場合にある。ここで言う損とは、先物トレードでは実際のお金であり、株式トレードでは機会の喪失である。

トレードを仕掛けたからには利益を期待している。トレーダーは皆同じ理由でそうしているのである。この観点でマーケットと自分との関係を見てみれば、トレードの目的はマーケットからお金を引き出すことだと言えるだろう。しかし同じ理由で、マーケットのたった一つの目的は、自分からお金や機会を引き出すことにあるのだ。

マーケットがお互いにお金を取り合う人たちの集団だとしたら、マーケットに対しての各トレーダーの責任とは何か。トレード活動を円滑にするために構築された規則に従う以外、責任はない。つまり自分がマーケットに裏切られたと非難した覚えがあれば、自分がゼロサムゲームに参加している意味を十分に考慮していないことになる。非難の程度がどうであれ、自分が何を期待し考えようが、トレード研究にどれだけ努力しようが、「マーケットが自分に対して何の借りもない」という現実を受け入れていないことを意味する。

マーケットでは、取引において典型的な社会的価値観は関係ない。このことを理解せずに、自分が育ってきた社会規範と、マーケットの機能形態との差異を一致させようとすれば、自分に何かをしてくれるだろうと信じて、マーケットに自分の希望、夢、願望を託し続けていることになる。そして実際にそうならないと、怒り、不満、感情的錯乱、裏切りを感じるのである。

責任を取るとは、自分のアイデンティティーの根底から、肯定し許容することである。マーケットではなく、「自分」がトレーダーとしての成功や失敗に、完全に責任を取るのだ。マーケットは、自分と自分の資金を切り離そうとする。が、一方でその過程のなかで、自分がお金を引き出す機会を際限なく提供している。そして値動きはそのときマーケットに参加している人たちの集団的行動を示している。つまりマーケット自体がまた情報を発信しているのだ。これがマーケットへの出入りを非常に楽にしているのである（もちろん参加者の人数によるが）。

個人の観点、自分の売買法、値動き、情報から何かを発見し、その機会に対応する。マーケットが開いている間、仕掛け、建玉、増し玉、手仕舞いの機会がある。これらはすべて、利食いや少なくとも損切りで収益を増やす機会である。

ここで一つ考えてみてほしい。自分はほかのトレーダーの期待、希望、夢、願望を満たすことに責任を感じているだろうか。もちろんそうではないはずだ。バカバカしい質問だと思うかもしれない。しかし自分がマーケットに裏切られ、非難したい気持ちを抱いた記憶があれば、実質的にそれが自分のしていることである。マーケットが自分の欲求どおりに動くように、マーケット参加者全員の集団的行動に期待しているからだ。マーケットに期待せず自分の欲しているものを得る方法を、自力で学ばなければならない。その学習過程の最初の大きな一歩が、完全完璧な責任の取り方なのだ。

責任を取るという意味は、すべての結果が自分で招いたものであると信じることである。結果は、マーケット情報の解釈、下した判断、そしてそこから自分の取った行動に基づいている。完璧に責任を取れないようであれば、成功を阻む二つの大きな心理的弊害が生じる可能性がある。一つは、常に機会から自分を締め出して、マーケットと敵対関係を築いてしまうことだ。そしてもう一つは、自分のトレードの問題と成功の欠如をマーケット分析で修正できると誤った確信を持つことである。

一つ目の弊害を考えてみよう。自分の収益や損失の責任がある程度マーケットにあるとしたとき、マーケットは非常に簡単に敵としての性格を帯びてしまう。損失（マーケットが過去と何かしら異なる動きをしたとき）からは、子供がだれかに何かを取り上げられたり、欲しているものがもらえなかったり、欲していることをさせてもらえなかったときに感じるような、苦痛、怒り、憤慨、無力感を抱くのである。

否定されたと感じて嬉しい人はいない。特に自分が欲しているものが自分を幸せにすると信じている場合はそうだ。こうした状況では通常、自分がある特定の方法で表現するのを、外部のだれか（何か）に阻害されている。つまり、ある外部の力が自分の願望や期待という内部の力に反して働いているのである。

その結果、当然のようにマーケットが与えたり取り上げたりする外部の力であると考えてしまう。しかしマーケットが中立の立場から情報を提供している事実を考えてほしい。つまりマーケットは自分の欲求や期待を知らないし、それを気にもしない（もちろん、自分の建玉が価格に大きな影響を持たないかぎりだが）。一方、いつでもどの買値でも売値でも、仕掛け、利食い、損切りの機会を提供している。これはまた、取引所フロアで注文を付け合わすフロアトレーダーにも当てはまる。個人的に知っているほかのフロアトレーダーが自分の建玉を知っていて、意図的にその情報を利用して自分に損切りさせようとするかもしれない。しかしそれに対しては、より迅速により集中して、あるいはフロアの状況を考慮して何かしらの制限を課して、それに従ってトレードすればよいだけの話である。

マーケットにしてみれば、どの瞬間も中立である。つまりだれに対しても、どの瞬間のどの値動きも意味を持つ。しかしそれがどのような意味を持つかは、自分の習得したものに基づいている。つまり答えは自分の心のなかにあり、マーケットのなかにはない。マーケットが発する情報を意味づけたり、解釈したりするのはマーケットではない（もし自分が聞く気になれば、解釈を提供する人は常にいるが）。さらに、機会や損失を定義する方法を知っているのはマーケットではない。いつでも損益や建玉と仕切りの絶え間ない機会を提供していると理解しているのはマーケットではない。いつでも自分の資金を取り上げてやろうと待ち構えている欲深い怪物として理解しているのはマーケットではない。

自己批判と後悔をせず、マーケットが提供する絶え間ない売買機会を素直に受け止められるトレーダーは、自分に最適な資産管理法で行動し、経験から学習できる最高の心理状態にある。一方で、マーケット情報から苦痛を連想する場合、その情報を意識的・無意識的に認識しないで、その苦痛を避けようとして当然である。好ましくない情報を遮断する過程で、自分に有利な数多くの機会もまた自動的に失うだろう。つまり、機会の流れから自分は取り残されたのである。

マーケットが自分に意地悪をしているように感じるのに、何かしてくれることだけは期待している。あるいは何かしらの借りがあると信じ込んでいる。だれか（何か）が自分に意地悪し、苦痛の原因となると、自分は戦いを挑まれたように感じるだろう。しかしトレーダーとして、実際に何と戦っているのだろうか。自分が戦っているのは絶対にマーケットではない。もちろん、マーケットはトレーダーのお金を欲している。しかし同時にできるかぎりの売買機会を提供しているのである。まるで自分がマーケットと戦っている、あるいはマーケットが自分に戦いを挑んでいるように感じるかもしれないが、本当はマーケットには何の借りもないことを十分に受け止められない後ろ向きの自分と戦っているのである。私たちは例外なく一〇〇％自力で、現れた機会から有利に立たなければならないのだ。

自分に有利となるような機会が無制限に提供されている状況で、最大の優位性をつかむ方法は、流れに乗ることである。マーケットは流れを持っているのだ。それはしばしば不規則だが

（特に短めの期間では）、何度も何度も繰り返す規律的なパターンを描いている。マーケットの流れを感じたいのであれば、恐怖、怒り、後悔、裏切り、絶望、失望といった感情をできるだけ払拭しなければならない。完全完璧な責任感を当然のものとしたとき、こうした後ろ向きの感情を抱く理由はなくなるだろう。

責任を取れないと、成功を阻む大きな心理的弊害の一つである「トレードの問題と一貫性の欠如がマーケット分析によって修正できるという誤解」が生じてしまうと前述した。この点を解説するために、最初の損を経験するまで無心でトレードしている初心者トレーダーについて考えてみよう。

簡単な勝ちトレードから心理的苦痛への突然の変化に、非常にショックを受けるはずだ（ただしトレードをやめてしまうほどのショックではない）。そのうえ、心のなかでは「状況はとにかく間違っていなかった。が、マーケットに損をさせられた」と思い込んでいる。しかし勝っていたときに経験した喜びは失うどころか、心のなかに鮮明に残っている。したがってトレードを続けようという気持ちは強い。

そこでトレードについてより賢くなろうと考える。一生懸命にトレードを研究して、マーケットについてできるかぎり何もかも知ろうとする。何も知らないで勝てたのだから、何かを知ればより勝てるだろうと考えるのは、まったく論理的である。しかしそこにこそ、どんなに長期間ダメージを受けても、ほとんどのトレーダーが気がつかない大きな問題がある。マーケットについて学ぶことは素晴らしい。そしてそれ自体には何の問題もない。ところがマーケットを研究しようとする根本的な動機が、結局は自分を破滅へと導いてしまうのである。

先ほど、喜びから苦しみへの突然の変化は、かなりの心理的ショックをもたらすのが普通だと述べた。健全な方法でその種の経験の解消法を習得している人はごくわずかである。だれでも得られるテクニックであるが、あまり知られていないのが実情だ。大半の人々に（特にトレードに魅了された人に）見られる典型的な反応は「復讐心」である。この復讐心を果たす唯一の方法は、マーケットを支配することだ。そしてマーケットを支配する唯一の方法が、マーケットを知ることである。たいていはこのように考える。つまり初心者がマーケットを研究する根本的動機は、マーケットに打ち勝ち、マーケットが再度自分を傷つけるのを避けるためなのだ。実際のところ、マーケット分析は独自の系統的方法で勝ちをつかむための手段にすぎないのに、初心者はそのことを理解せず、むしろ痛みを避ける方法、あるいは何かを証明する方法として考えている。それは間違いなく、客観的視点でマーケットを見ることからかけ離れている。意識しているかいないかにかかわらず、マーケットについて何か知ることが、かつて経験した苦痛を防ぎ、復讐の願望を満たし、何かを証明するのに役に立つ手段であると確信している。そのような考え方でトレードすれば、瞬く間に敗者となる運命にあるだろう。

なぜならその考え方は相いれないジレンマを含んでいるからだ。マーケットの集団的行動パターンを認識し、理解する方法を学ぶ。それは良い。気分も良くなるだろう。自分は勝利者となるためにマーケットを研究していると確信しているので、一生懸命だ。その結果、典型的な知識の探求者になる。トレンドライン、チャートパターン、支持・抵抗線、ローソク足、マーケットプロファイル、ポイントアンドフィギュア、エリオット波動、フィボナッチ比率、オシレーター、ＲＳＩ、ストキャスティックス……。ほかにもきりがないほど多くのテクニカル分析ツールを学ぶ。しかし興味深いことに、知識が増えると、かえってトレードの実行に支障が生じてしまうのだ。はっきりとした売買シグナルが幾つも出ているにもかかわらず、躊躇して二の足を踏んでしまい、まったくトレードをしなくなる。そしてそれがすべて欲求不満となり、パニックに陥る。なぜなら事態の展開に納得できないからである。期待したとおりのことをしたのに、たくさん学べば学ぶほど、自分の優位性がより低下するだけだと分かるからだ。一生懸命頑張っただけに、その分析で間違えたとしても、それをけっして認めようとしないだろう。要は、間違った動機でトレードを研究しているのである。

自分が正しいと証明するためにトレードしようとしたら、効率的ではなくなる。「勝たねばならない」「正しくなければならない」「負けられない」「間違えられない」といった感情がマーケット情報を苦痛として解釈する原因となるのだ。つまり、マーケットから発せられるどのような情報も、自分の幸せに敵対する苦痛として映るのである。

こうしたジレンマによって、自分の心は身体的・心理的苦痛の回避に集中し、マーケット研究は苦痛回避のメカニズムを築く。このメカニズムはトレードに悪い影響をもたらす。おそらくだれにでも苦痛を避ける身体的性質は理解できるだろう。例えば偶然、熱いガスレンジに手が触れたら、自動的に熱さから手をのけるだろう。それが本能的反応である。しかし(特にトレーダーが)心理的苦痛を避けるようになると、悪い結果が出る。この力学を理解している人はごくわずかだ。しかしこのメカニズムのもたらす悪影響の理解と、意識的にコントロールする方法の習得が、間違いなく自分の成長に不可欠なのだ。そしてそのことで目標に到達できるのである。

私たちの心のなかには、「苦痛」と解釈する情報から自分自身を守る方法が数多くある。例えば、私たちは意識的に負けトレードについて言い訳、正当化、放置をする。やり方はさまざまだが、典型的な例では、トレード仲間に電話をしたり、ブローカーと話をしたり、けっして使わない指標を見たりする。どの場合も、苦痛となる情報の正当性を否定するため、わざわざ苦痛でない情報を集めようとしている。無意識のうちに私たちの心は、発見した情報を選んだり、歪曲したり、さらに除外したりしているのだ。つまり、苦痛を避けようとするメカニズムがマーケットから提供されている情報を除外したり選択したりしている事実に気がついていないか、あるいは意識していないのである。

トレードに負けているときを考えてほしい。マーケットが自分の建玉に不利に動き、一貫して高値を更新し安値を切り上げている（あるいは安値を更新し高値を切り下げている）。しかし、自分はトレードに負けているという認識を拒否してしまう。なぜなら自分に都合の良い情報に自分の注意を向けてしまうからだ。平均して四～五の情報から自分に有利な一つの情報を取り上げているだけである。しかしそれは問題視しない。なぜなら一つの情報を得るたびに、マーケットが反転して戻ってくると確信してしまうからである。ところがたいていマーケットは自分に不利なままである。そしてある時点で、損失額はさらに膨らみ、否定し続けるのが不可能になって、結局はトレードを手仕舞うのである。

そのようなトレードを振り返ったときありがちな最初の反応は、「なぜ損切って逆に仕掛けなかったのか？」である。反対方向にトレードを仕掛ける機会は、問題がなくなってしまえば容易に認識できる。しかしトレードの最中はこの機会が目に入らなかったのだ。なぜなら、そのときはそれが機会であると示唆する情報を、苦痛として拒否したからである。つまりそれに気がつくのを阻んだのは自分なのだ。

トレードを始めたばかりの素人トレーダーは、楽しいだろう。無心だろう。個人的な計画もないし、証明するものもない。勝っているかぎり、「何が起こるか見てみよう」という立場でトレードを仕掛ける。さらに勝つと、負けの可能性をさらに考慮しなくなる。したがってついに負けてしまったときには、おそらくそのような事態をほとんど予想もしていない。そして苦痛の原因がマーケット動向に対する誤った期待であったと考えずに、マーケットを非難し、そしてマーケット知識を増やせば解決できると考え、その経験が再び繰り返されるのを防ごうとする。つまり、自分のスタンスを、無心から、損失を避けて苦痛を防ぐことへと劇的に変化させているのだ。

これは問題だ。損失を避けて苦痛を阻もうとするのは無理だからだ。マーケットには行動パターンがあり、そのパターンは繰り返される。しかしいつもではない。つまり損失や負けを避ける方法はないのだ。こうしたトレードの現実に気がついていない人が多い。なぜなら、①勝利の感覚をぜひとも取り戻したい、②必要なマーケット知識をすべて得ようと一生懸命研究している――という二つの切実な思いで突っ走ってしまうからである。どんなに一生懸命研究しても、自分の思考が無心状態から回避阻止状態になったと気がつかなければ、自分の姿勢は前向きから後ろ向きへと変化するだろう。

こうなるともはや勝利のみに集中してはいない。むしろどうしたらマーケットに傷つけられずに済むか、どうしたら精神的苦痛を避けられるかに集中している。こうした後ろ向きの考え方は、テニス選手やゴルファーがミスを避けることに集中し、ミスをなくそうとすればするほど多くのミスを犯してしまうのと同じだ。この思考過程はスポーツでは非常に簡単に理解できる。なぜなら自分の集中しているものとその結果との関係が、比較的はっきりと認められるからである。しかしトレードでは、そのつながりがはっきりせず、認識が難しいため、前向きな感覚はマーケットデータや値動きに新しい関係を発見することから生じると誤解してしまうのである。

マーケットのパターンを認識して気分が良い間、何も問題はないと思い込んでいる。しかし実際は、苦痛の回避に集中すればするほど、同じ度合いで、まさに自分が避けようとしている経験をしてしまう可能性がある。つまり「勝たねばならぬ」「負けられない」と考えれば考えるほど自分の欲求が満たせそうにないと示唆する情報に寛容でいられなくなり、そうした情報が阻害されればされるほど最高のパフォーマンスを出す機会に気がつかなくなるのである。

痛みを避けるためにマーケットについて研究すればするほど、問題は膨らむ。なぜなら知れば知るほど、自然とマーケットに期待するようになるからだ。そしてそれはマーケットがそのようにならなかったとき、さらなる痛みを引き起こす。「知れば知るほど気が弱くなる。気が弱くなればなるほど知らなければならないと感じる」という悪循環を、知らず知らずのうちに確立してしまうわけだ。この悪循環は、うんざりしてトレードをやめてしまうか、自分のトレードの問題の根本的原因が自分にあり、マーケット知識の欠如ではないと気がつくまで続くのである。

勝利、敗北、絶好調、そして破滅

大半のトレーダーは成功の本当のコツを発見する前にタオルを投げるか、見つけたとしてもそれまでにかなりの時間をかけている。それまでの間、まさしく体験するのが、いわゆる「バブルのサイクル」である。

前述の初心者の例とは正反対のことを言うようだが、だれもが本質的に後ろ向きの姿勢を持っていて、ずっと負けっぱなしで破滅するわけではない。もちろん負け続けるトレーダーもいる。そのなかにはすべてを失うまでやる人もいれば、精神的苦痛に我慢できずにやめてしまう人もいる。しかしまた、マーケットを我慢強く研究し、効率的な勝つ姿勢でトレードに参加している人も多い。そして多くの困難にもかかわらず、最終的に収益方法を習得している。しかし私はこう強調したい。「彼らは限られた部分でしか収益を出す方法を知らない」。なぜなら、まだ自己陶酔の悪影響がどのようにトレードを妨害するのか理解していないし、自暴自棄の可能性を解消する方法を理解していないからだ。

自己陶酔と自暴自棄は、個人の基本原則にかなりの悪影響をもたらす頑強な心理的フォースとなる。勝ち始めるまで気にする必要のないフォースだが、コンスタントに勝つようになると大きな問題となる。勝っていると問題に目をつぶってしまうからだ。特に自己陶酔を感じるぐらい上機嫌のときはそうだ。自己陶酔の大きな問題は、何かを間違える可能性をほとんど想像できなくなるレベルにまで過信してしまう点にある。一方、自暴自棄によるミスには、儲けたり勝ったりする価値についてトレーダーが抱く、多くの矛盾が根底にある。

勝っているときこそ、ミス、過剰売買、過剰建玉、規則違反、あるいはさも大胆さが必要であるかのような行動をとっていないか、疑ってかからねばならない。マーケットについて過激に考えてそのような行動をとったとき、得てしてマーケットはそのとおりにならない。そして著しい損失と心理的苦痛に傷つくだろう。一時的な好調の後に必然的な大失敗を経験してしまうのである。

私の経験に基づいてトレーダーを分類するとしたら、大きく三つに分けられるだろう。最も小さな集団は、おそらく活発なトレーダーの一〇％未満であろうが、一貫した勝利者である。比較的小さなドローダウンで堅実な右肩上がりの損益曲線を描いている。経験するドローダウンは、どのような売買方法でも売買システムでも通常あり得る範囲の損失だ。利益を得る方法を知っているだけでなく、好不調のサイクルから生じる心理的圧力をはっきりと認識している。

次の集団は、活発なトレーダーの三〇～四〇％からなる、一貫した敗者である。損益曲線は一貫した勝者とは正反対を描く。ただし右肩下がりではあるが、たまには勝ちトレードがある。トレードをどれだけ長くしているかにかかわらず、ほとんど何も学んでいない。トレードの本質について幻想があり、勝者に転じるにはほとんど不可能であるほどトレードにおぼれてしまっている。

そして最大の集団が、活発なトレーダーの四〇～五〇％を占める、「バブル」トレーダーである。利益を得る法は知っている。しかし、収益を維持するために身に着けねばならない売買技術の大きな実体を学んでいない。結果として、ジェットコースターに乗っているような損益曲線を描くのが典型的である。堅調に収益を重ねては、急激に落とす。また堅調に収益を重ねては、急激に落とす。ジェットコースター的循環の繰り返しである。

私は抜群の連勝記録で、損をした日が何カ月もなく、一五連勝や二〇連勝が珍しくないような多くのベテラントレーダーの相談に乗った経験がある。しかしこうした「バブル」トレーダーの連勝は、常に同じ結果で終わる。大損だ。自己陶酔と自暴自棄の結果である。

損失が自己陶酔の結果であるとすれば、どのような連勝をしていたか、何回連続で勝ったか、損益曲線が堅実な右肩上がりの曲線だろうが、あるいは一回のトレードに大勝ちしようが、そんなことは大した問題ではない。思考停止をもたらす自信過剰や自己陶酔を抱く理由は、人によってさまざまだ。しかしいずれにしろトレーダーが陶酔した瞬間、大きな問題に見舞われるのだ。

自信過剰や自己陶酔の状態では、どんなリスクにも気がつかない。なぜなら自己陶酔は、間違いなど絶対にないと信じ込ませてしまうからである。何も間違っていなければ、自分の行動を支配する規則や境目は必要ない。普段より大きめの建玉が魅力的になり、そうせずにいられなくなる。

しかし、普段より大きな建玉を持ったとたんに、危険に見舞われる。建玉が大きくなればなるほど、小さな値動きのブレが自分の資金に与える金銭的影響は大きくなる。自分の建玉に不利な値動きの影響が普段より大きい状態と、マーケットが自分の思ったとおりになるだろうという固い信念が結びつくと、自分のトレードに不利な情報に「呆然」とした状態に陥り、それは最終的に金縛りの原因となる。

結局、それが原因で失敗すると、呆然とし、幻滅し、裏切られた気持ちになる。どうしてそんなことになったのか信じられない。前述した深層心理での力学に気がついていない（あるいは理解していない）場合、マーケットを非難する以外に選択肢がないだろう。マーケットがこのような仕打ちをしたと信じると、自分を守るためにマーケットについてもっと研究しなくてはならないと感じるだろう。知れば知るほど、当然、自分が勝つ自信がさらについてくるだろう。そして自信が強まれば、さらにある時点でサイクルの繰り返しがまた始まり、陶酔状態へと達するであろう。

自暴自棄による損失は、有害にほかならない。しかし本質的に滅多に表に出ない。典型的な例として、買うべきところを売ったり、またはその逆をしたりするミスや、最も大事な瞬間に注意力が散漫になっている状態が挙げられる。それでは勝てるわけがない。

まるで勝ちたくないように見えるが、実はその人の欲求は問題ではない。なぜなら、すべてのトレーダーが勝ちたいと願っていると私は確信しているからだ。しかし勝利にはしばしば矛盾がある。ときには、こうした矛盾があまりにも強力なため、自分の行動が自分の欲求とはっきり矛盾していることに気がつくだろう。こうした矛盾は、宗教的しつけ、労働倫理、子供時代のある種のトラウマに起因している可能性がある。

もしこうした矛盾が存在するなら、自分の心の環境が自分の目標と完全に結びついていないことを意味する。つまり、全身全霊で同じ結果を追求していないのである。したがって、自分に無尽の資金を手に入れる才能があると確信できない。なぜなら、ただ売買法と収益法を学んでいるだけだからである。

ある大手先物取引のブローカーがこうコメントしていた。「すべてのトレーダーが失敗するという前提で、お客さんと接している。そして彼らが逝くときまで幸せな気持ちにしてあげるのが自分の仕事だ」。彼は冗談半分でこう言っていたのだが、その発言には多くの真実がある。

当然だが、儲けた額よりも損失額が大きければ生き残れない。しかしあまり明確ではないのは（そして成功の謎の一つが）、勝っても破滅する可能性があるというものである。つまり勝っていても、自信と自制に適度なバランスを確立する方法を習得していなければ、あるいは自暴自棄となるあらゆる可能性を認識し、修正する方法を学んでいなければ、遅かれ早かれ敗者となってしまうのだ。

もし自分が「バブル」サイクルのなかにいるトレーダーだとすれば、このように考えてほしい。「もしミスや暴挙によって生じた負けトレードをやり直せるとしたら、さらに収益を上げられるのではないか？」。そこで再計算して、自分の損益曲線がどうなっていたか見てほしい。私は「バブル」トレーダーの多くが、一貫した勝ち組に仲間入りできると確信している。では、損失が生じたとき、その損失にどのように対応したか考えてほしい。完全な自己責任を自覚しただろうか。どうしたら自分の観点、姿勢、行動を変えられたのか、はっきりさせようとしただろうか。あるいは損失の再発を防ぐために熱心にマーケット研究をしたことに疑問を持っただろうか。当然ながら、自分の暴挙の可能性とマーケットには何の関係もない。あるいは、利殖についてのある内的矛盾の結果として犯すミスとマーケットは何の関係もない。

おそらく、うまく理解することが最も難しい概念の一つが「自分の姿勢や精神状態を確立するのはマーケットではない」というものだろう。マーケットは単に、自分の裏側に潜むものを映す鏡としての役割を果たしているにすぎない。自分に自信があるのは、マーケットがそのように感じさせるからではなく、自分の信念と姿勢でトレードし、その結果に責任を取り、そこから可能な洞察を引き出そうとするからだ。自信に満ちた心理状態を維持できるのは、単に継続して学んでいるからである。逆に怒りや恐怖を感じるのであれば、それは大なり小なり結果を生んだのはマーケットであって、自分のせいではないと信じているからである。

結局のところ、無責任による最悪の結果とは、苦痛と不満のサイクルの放置である。それについてしばらく自問自答してほしい。自分の結果に責任を持てないのであれば、何も学ぶものはなく、自分はまさにそのままでいられると確信しているのである。成長もなく、変化もないだろう。その結果、まさに同じような展開を経験し、同様に反応するだろう。そして不満足な結果に終わるだろう。

あるいは、マーケット知識を増やして自分の問題を解消できると確信するかもしれない。学習は常に貴重である。しかしこの場合、自分の姿勢や観点に責任を取っていない。それでは、間違った動機で価値あるものを学んでいることになる。間違った動機は、学んだものを不適切な方法で用いる原因となる。この点が認識できず、リスクを取る責任を避けようと知識を用いる。結局その段階で、避けようとしているまさにそのものが生じてしまい、苦痛と不満のサイクルを体験するのである。

しかし、自分の欲求が満たせなかったとマーケットを非難して得られる明白な利点がある。そうすれば過酷な自己批判を一時的に回避できるのだ。私が「一時的」と言ったのは、責任の転嫁はすなわち、体験から学ぶべきものを排除しているからである。私たちの勝つ姿勢の定義を忘れないでほしい。自分の得た結果が何であれ、それは自分の上達の度合いを完璧に反映するものである。自分がより優れたトレーダーとなるために学ぶべきものとして受け入れ、その自分の努力に前向きな期待を抱かねばならない。

自己憐憫の結果、精神的苦痛を防ぐためマーケットを非難するようになると、その行為はまったくもって、汚れた絆創膏を傷口に張るようなものである。問題を解決したと思うかもしれないが、問題は後になって再び現れる。それも前よりもひどい状態で現れる。理由は簡単だ。より満足した結果になるだろうという何かしらの解釈を、経験から何も導き出していないからである。

これまで、利食いに失敗すると、損切りよりも苦痛に感じて不思議に思ったことはないだろうか。負けたときはマーケットに責任を押しつけて、自分の責任を受け入れない方法がいくらでもある。しかし利食いの失敗ではマーケットを非難できない。マーケットはまさに自分の期待どおりに動いたが、理由が何であれ適切にその機会を生かせなかった。したがってその苦痛を取り除く正当な理由がないのだ。

マーケットがどう動こうが責任はない。しかし自分のトレード行為による結果には責任を持つ。今までの知識だけでなく、これから自分に発見されるのを待っているまだ学んでいないすべてのことに責任を持つのだ。成功に必要なものを発見する最も効率的な筋道とは、勝つ姿勢の確立である。なぜなら本質的に創造的な視点があるからだ。勝つ姿勢は学ぶべきものに光を当てるだけでなく、ほかのだれもが経験していないようなことを最も発見しやすくする心構えを誕生させる。

勝つ姿勢の育成が成功へのカギとなる。しかし多くのトレーダーは、そうした姿勢がまだないのにすでにあると考えてしまったり、あるいはマーケットが勝ちトレードをもたらし、その姿勢を育ててくれるだろうと期待したりする。そうではない。自力で勝つ姿勢を開発する責任がある。マーケットにはそのような責任はない。この勝つ姿勢の重要性は、できるかぎり強調しておきたい。成功への近道はマーケット分析の量でも質でもない。もちろん、マーケットを理解すれば、勝ちトレードを幾つか増やすのに必要な優位性が見つかるかもしれない。しかしその優位性も、勝つ姿勢がなければ一貫した勝利者となるために貢献するものではないだろう。

「マーケットを十分理解していなかったために常に間違ったトレードを選んでしまったのも、負けた理由になるではないか」と反論する人もいるかもしれない。たしかにそうだ。しかしこの意見と同じぐらい合理的に、マーケットについてよく知っていたのにもかかわらず、間違ったトレードを選んでしまう敗者の姿勢を持ったトレーダーの例を、私はいくらでも説明できる。どちらにせよ結果は同じで、負けだ。一方で、勝つ姿勢を持ったトレーダーはマーケットについてほとんど知らなくても、勝っている。そしてマーケットについて多くを知れば知るほど、より多くの勝利をつかんでいる。

もしトレードでの経験を、恐怖から自信へと変えたいのであれば、そして自分の損益曲線を不規則な形から、堅調な右肩上がりへと変えたいのであれば、まずは責任を取り、マーケットが何かをしてくれるとか、何かをすべきだとか期待するのをやめなければならない。この視点で、自ら進んで実行する決心をすれば、もはやマーケットは自分の敵とはならないだろう。つまり、自分自身と戦うのをやめるだろう。そして即座に知るべきものを正確に認識し、即座に吸収してしまう自分に驚くだろう。責任を取る、それが勝つ姿勢に不可欠なことである。

第四章

一貫性――心理状態

Consistency : A State Of Mind

ここまで読んできて、以下のような概念を持ってもらえたのではないかと期待している。「単に市場分析に優れているからといって、自分の行動を適切に考える方法を習得したわけではない」。すでに何度も強調しているが、最高のトレーダーとその他大勢を区別するのは、トレード行為やそのタイミングではなく、自分の行為についてどのように考えているか、そしてトレードしているときにどのような心理状態にあるかである。

自分の目的が、プロのようにトレードし一貫した成功者になることであれば、その解決法は自分の心のなかにあるのであってマーケットのなかにはない、という前提から始めなければならない。一貫性は心理状態であり、トレード特有の核となる根本的思考戦略なのだ。

何度かトレードに勝つと、たいていの人が「トレードは簡単だ」と確信してしまう。自分が単に買いか売りかを判断しただけで、自分の口座にあふれんばかりに利益を流し込んだトレード経験が記憶にある。そして努力がいらなかった事実と、勝利と収益による非常に前向きな（プラスの）感覚を組み合わせる。そうなるとトレーダーとして稼ぐのは簡単だと結論づけずにはいられない。

しかし考えてみてほしい。トレードがそれほど簡単なものなら、なぜ習得するのがこれほど難しいのだろうか。実際、多くのトレーダーが、この矛盾にどう対処すればよいのか途方に暮れている。もしトレードが簡単なものであるのが真実ならば（そしてトレーダー自身、実際にいとも簡単に何の努力もせずに勝利した経験があるのに）、どうしてマーケットについて学んだことを何度も繰り返せないのか。換言すれば、トレードについて信じていることと実際のトレードの結果が矛盾している点を、どう理解すればよいのだろうか。

トレードに対する考え方

その答えは自分の考え方次第である。皮肉にも、たまたま勝ったときにもトレードを同じように楽しく、難なく感じてしまうのだが、こうした状態を一貫させるには、適当な視点、信念、姿勢、心構えがなくてはならないのだ。これらの言葉はすべて同じ意味だ。自分の最も気に入った言葉を選んでほしい。勝利と一貫性は、幸福、娯楽、満足感といった心理状態で共通している。

心理状態は信念と姿勢から生まれる。もちろん適切な信念と姿勢がなくても、一貫性の確立を試みるのは可能だ。しかしそれでは、楽しんでいないときに幸せになろうとするのと同じだ。楽しくないときに自分の視点を変えても、すぐに楽しい気持ちになるのは非常に難しいはずである。

もちろん、自分のいる状況を、楽しい経験ができるものに変えられる。しかしその心理状態は外の状況を変化させた結果であり、心の姿勢が変化した結果ではない。（自分自身が常に楽しめるように）自分の幸せを外部の環境（状況）に頼っていたら、結局は一貫した幸福感は経験できないであろう。

しかし、楽しもうとする姿勢を育めば、より具体的に言えば、楽しさを阻害する信念と姿勢を自発的になくす努力をすれば、幸せになる可能性は大いに高められる。トレーダーとして一貫した成功を確立することにも、同じことが当てはまる。一貫した成功をマーケットに頼るわけにはいかない。マーケット（外部の世界）は自分を一貫して幸福にするために頼れるものではないからだ。本当に幸せな人々は、幸せになるために何かをする必要はない。すでに幸せで、そして何かをしているのだ。

一貫して成功しているトレーダーは、一貫して自分を自然体で表現している。一貫しようと「試みる」必要がない。すでに一貫しているのである。これは抽象的な区別だと感じるかもしれない。しかしその違いの理解は、極めて重要である。一貫しているのは、そうなるように試みているからではない。むしろまさにその「試み」こそが、自分に勝ち目がないように感じ（あるいは負けそうだと感じ）させてしまい、精神的にマーケットが提供する機会の流れから取り残されたように感じさせ、自分の意図を否定してしまうのである。

最高のトレードは簡単で難しくなかったはずだ。やさしくしようと試みる必要がなかった。最初から簡単だったのだ。そこには葛藤がなかった。見るべきものを見て、見たものに沿って行動した。その瞬間、機会の流れの一部となったのだ。流れに乗っていれば、試みる必要がない。なぜなら、マーケットについての知識のすべてが利用可能だからだ。自分の認識を阻んだり隠したりするものはない。そして何の葛藤も抵抗もないので容易に行動できる。

一方で、「試みる」とは、ある程度の抵抗や葛藤の存在を示している。そうでなければ、ただそれをするのに試みる必要がないではないか。試みはまた、マーケットから欲しいものを得ようとする努力も意味している。この考え方を当然のことだと感じるかもしれないが、それは実現が難しい視点である。最高のトレーダーは流れのなかにいる。なぜなら彼らはマーケットから何かを得ようと努力していないからだ。ただ単に時機が来るのを待つ。したがって、マーケットがいつどのように動いても優位性を獲得できる。このように、二つの見方には非常に大きな差があるのだ。

第三章で、いかに私たちの気持ちが身体的・心理的苦痛の回避に集中してしまうか説明した。もし「マーケットから自分の欲求や期待を得ようと努力する」という見方でトレードをした場合、マーケットの動きが自分の期待を満たさないときに何が起こるか考えてほしい。その心的防衛規制が、自分の欲求と満たされていないものとの差を解消しようと、どんな精神的苦痛も経験しないように跳ねのけてしまう。私たちの心は、自分の欲求が満たされないときに当然感じる精神的不快さを防ぐため、自動的にその脅威となる情報を阻止するか、その情報をあいまいにする方法を探すよう設計されているのだ。その瞬間は気がつかないだろうが、期待しているものにかなう情報を選択するだろう。そのようにして苦痛を解放する精神状態を維持しているのである。

しかし苦痛を解放する精神状態の維持を試みると、機会の流れからはみ出てしまい、「できただろうに」「すべきだったのに」「こうしただろうに」「ただ……しておけば」という思いにとらわれてしまう。それらの思いのすべては、それが明確になった瞬間に認識される。そしてすべてが後の祭り、つまりその機会が過ぎてしまった後に、苦痛となって表れるのである。

自分を幸せにしてくれるもの、欲求に応えてくれるもの、あるいは痛みを避けてくれるものに基づいて情報を隠蔽、阻止、選択してしまう心理過程が、意識的・無意識的に存在することをもはや疑ってはならない。その前提をもとに、一貫性を持つためにトレードについての思考法を習得する必要がある。

恐怖は苦痛への脅威から生まれる。そして犯したミスのうち約九五％が、恐怖心から生まれる。ミスが続けば、機会の流れの経験や、自分の優位性を一貫できないはずだ。また自分の欲求や期待どおりにならないことを恐れているかぎり、ミスを犯すだろう。するとトレーダーとしての「試み」すべてが、葛藤となるだろう。そしてあたかもマーケットと奮闘しているかのように、あるいはあたかもマーケットが自分に個人攻撃を仕掛けているかのように感じるだろう。しかし現実には、すべてが自分の心のなかで起きている。情報に可能性があるか理解するのはマーケットではない。理解するのは自分である。そしてもし葛藤があれば、内的抵抗感、矛盾、恐怖と格闘しているのは自分である。

そこで、こう考える人がいるかもしれない。「どうしたら恐怖心を払拭し、情報の阻止や隠蔽、選択をしてしまう心理プロセスに陥らずに、トレードについて考えられるのか？」。その答えは「リスクを許容する方法を学べ」である。

リスクを本当に理解する

第三章で論じた責任感に関する多くの視点以外で、リスクを受け入れることほど、トレードの成功要因でありながら誤解されやすい概念はない。第一章で述べたように、大半のトレーダーは、リスクが内在する行為に従事しているので、すでにそのリスクを受け入れているという間違った確信をしている。この確信は真実から程遠いと、繰り返し指摘しておく。

本当にリスクを受け入れた状態とは、精神的不快感や恐れなしに、自分のトレードの結果を受け入れることである。そのためにはトレードについて、そしてマーケットとの関係について、正しい考え方を習得しなければならない。正しい考え方ができれば、心的防衛規制の作動による間違い、損失、機会喪失、利食いの失敗が原因で、機会の流れからはみ出たり、締め出されたりしないで済む。結果を恐れていたら、トレードを仕掛けてリスクを取っても何も良いことがない。なぜなら恐怖心が情報の解釈と行動に影響し、そのような解釈と行動が、まさに自分が避けようとしている恐怖を経験してしまう原因となるからだ。

私がこれから紹介する特別な思考戦略は、マーケットのタイミングと流れをつかむ集中力を維持するための信念の組み合わせである。マーケットから何かを得ようとか、何かを避けようとかはしない。広い視野でマーケットを監視し、自分の優位性が売買機会と定義する状況であれば、いつでもその利用を可能にする思考戦略だ。

優位性を利用するとき、マーケットの動向に何かしらの制限や期待を押しつけない。つまりマーケットのしたいようにさせておく。そしてその過程でマーケットが自分の機会を定義・解釈する状況になったとき、自分の能力のベストを尽くすのだ。ただしその心理状態は、マーケットの動向に依存するものでも影響されるものでもない。

マーケットの動向に左右されない心理状態を確立する方法を習得できれば、葛藤は存在しなくなる。内的葛藤がなくなれば、すべてが楽になる。その時点で、すべての自分の技術や分析などが最高の優位性を得たことになる。その結果、トレーダーとしての潜在能力の発揮が可能となるわけだ。

ここに挑戦がある！　リスクを取ったとき、不満や恐怖を感じずにトレードのリスクをどのように受け止めているか。換言すれば、自分が間違えた、資金を失った、好機を逃した、利食いに失敗したとはっきり分かったとき、自分の自信と無心をどのように保つのか。知ってのとおり、恐怖と不快感は完全に正当化できるし、合理的に説明できてしまう。そしてこうしたミスは、トレードにはつきものだ。

しかし、たしかにこれらのミスを犯す可能性はだれにでもあるが、同様に明らかなのは、こうした間違い、損失、機会喪失、利食いの失敗をどのように受け取るかは、人によって異なるということだ。つまり、こうしたミスの可能性に、だれもが同じ信念や姿勢を向けるわけではないのだ。恐怖を感じたとき、その瞬間抱く不快感はあまりにも現実的なため、だれもがその現実を共有していると思い込んでしまい、その確信に疑問を抱かなくなる。しかし、だれもが同じものを恐れているわけではないのだ。

今述べたことが完全に当てはまる例を出してみよう。最近、相談に乗ったトレーダーに、ヘビを死ぬほど恐れている人がいた。彼に言わせれば、そうでなかったころを思い出せないくらいいつもヘビを恐れているという。彼は既婚者で、三歳の娘がいる。ある晩、奥さんが用事で外出していたとき、娘と二人で友達の家に行って夕食をご馳走になっていた。そのときまで彼は知らなかったのだが、友人の子供がヘビを飼っていたのである。

その子がみんなに見せようとヘビを取り出したとき、彼は飛び上がって、できるかぎりヘビから遠ざかろうと、部屋の隅へと逃げ込んだ。ところが、彼の娘はすっかりヘビのとりことなって、放そうとしなかったのである。

彼がこの話を私にしたとき、突然ヘビと対面してショックだっただけでなく、娘の反応にもショックを受けたと言う。怖がるだろうと確信していたのに、まったく恐れもしなかったからだ。私はこう説明した。「あなたの恐怖は非常に激しく、そして娘さんに対する愛情も非常に深い。ですから自動的にヘビに対するあなたの現実を彼女と共有していると思い込んでしまい、それに反した対応を彼女がとるとは予想だにしなかったのです」。彼が彼女にヘビの恐怖を特別に教え込まないかぎり、あるいは彼女自身にヘビに対してつらく怖い経験がないかぎり、実際には彼の経験を彼女が共有する術がなかったのである。裏を返せば、彼女の精神システムにマイナスの経験がなければ、生きているヘビと初めて出会ってまずみせる反応は、たいてい純粋で混じり気のない興味なのだ。

彼が自分の娘はヘビを恐れるだろうと思い込んでいたのとまったく同じように、大半のトレーダーが最高のトレーダーは自分たちと同じように、間違い、損失、機会喪失、利食いの失敗を恐れていると思い込んでいる。そして最高のトレーダーは大変な勇気、精神力、自制心で、どうにかして自分の恐怖を解消しているのだと思い込んでいるのだ。

これはトレードに関するほかの多くの事柄にも当てはまるが、一見理解しやすそうなものは、まず間違っている。たしかにこうした性格の一部（あるいは全部）は、トップトレーダーにも当てはまるかもしれない。しかしこうした性格が彼らの優れた成績に何かしらの役割を果たしていると考えるのは間違っている。ほかの影響を解消するために、勇気や精神力や自制心を用いたところで内的矛盾が生じるだけだ。トレードに対しての葛藤、試み、恐怖が少しでも存在すれば、その瞬間に流れからはみ出てしまい、その結果、収益が減るのである。

プロのトレーダーとその他大勢を分けているのがここだ。プロのようにリスクを受け止めたとき、マーケットの動向を脅威として理解しなくなるだろう。何の脅威もなければ、何の恐怖もない。恐怖がなければ、勇気の必要もない。ストレスがなければ、精神力の必要はない。そして自分が無心になれるかどうかを恐れていなければ、自制心の必要などない。この文章に込められた意味をじっくりと考えてほしい。そしてこのことを肝に銘じてもらいたい。「責任感とリスクについて適切な信念と姿勢を持ってトレードを始める人はほとんどいない」のだ。だれもいないとは言わないが、ほとんどいない。その他大勢は、前述の初心者のところで出たサイクルにはまっている。無心で参加し、そして恐れを感じ、その恐れが自分の潜在能力を断続的にそいでいくのである。

そのサイクルの打破に成功したトレーダーが結果的にリスクの回避をやめ、責任を取る方法を学び出すのである。サイクルを成功裏に突破した人の大半は、大損によるあまりにも大きな苦痛によってトレードの本質についての自分の幻想を払拭し、このプラス効果の経験をして初めて考え方を変えている。

自分の成長に関しては、「どのように」変化したかは重要ではない。なぜならそうした変化は、得てして一瞬にして起こるものだからである。つまり、マーケットとかかわっているなかで新しい視点によるプラス効果を経験して初めて、それまで心の環境で起こっていた変化に完全に気がつくのである。後ほど詳しく説明するが、トップトレーダーのほとんどが「損切りする」「流れに乗る」といった自明の理以外に、実際に成功した理由を説明できないのはこのためだ。したがって、たとえ今までの自分がまったく逆のことを考えていたとしても、これからはプロがするように考え、絶対に恐怖心なくトレードできると理解することが重要である。

心の環境の構成方法

リスクを受け入れ、プロのトレーダーのように機能する心の環境を正確に構成する方法をゼロから始めようと思う。ここまでの説明の大半は、正しい作業をするための準備を意図してきたが、ここからは可能性と優位性にしっかりとした信念を持つ思考戦略を、集中的に教授するつもりだ。この新しい思考戦略から、マーケットとの新しい関係を確立する方法を習得してほしい。そしてこの新しい関係は、自分のトレードに間違いや損失の典型的な意味を連想させないし、またマーケットの動向を脅威として受け止めることから防いでくれる。苦痛の脅威が消えたとき、恐怖心もまた同時に消える。したがって恐怖によるミスが消える。そうすれば、可能性のあるものを発見し、その発見したものに素直に対応する自由な精神状態に達するだろう。

何度か損が続いてもこの無心で不安のない精神状態でいるには努力が必要だろう。しかし思ったほど難しくもないはずだ。事実、本書を読み終えるまでには、自分の問題の解消法が実はいかに簡単なものであったか、を知って驚くはずだ。

多くの点で、精神状態や見方はソフトのプログラムみたいなものだと言える。ぎっしりと書かれた数千行のプログラムのうち、たった一行の傷（バグ）、それもたった一文字が間違って置かれただけでも、そのソフトが機能しないことがある。またそのバグのあった行とその他の行との関連によっては、その間違って置かれた一文字がほかに完璧に書かれたシステムのパフォーマンスを台無しにしてしまう可能性がある。その解決法は簡単だ。間違って置かれた字を修正すればよいだけの話だ。そうすれば、すべてが円滑に動く。しかしそのミスを探すのは大変だ。まずはその存在を知るために、かなりの専門的知識が必要となる。

理想的なトレード心理には、だれもが心理的な距離を持っている。つまりほとんどだれもが傷ついたプログラムでトレードを始めているのだ。ここではその心理的距離を示すためにツマミとか程度といった言葉を使う。ただしこれらの言葉は特定の距離を示すわけではない。例えば、多くの人がツマミをちょっと回すことができれば、理想的な心構えに到達したと分かるだろう。そのツマミ一つの差は、トレードの本質について一つ二つ誤った確信があることを示している。しかし本書に提示された、幾つかのアイデアを熟考してもらえれば、自分の観点は変化するはずだ。先ほどのソフトのたとえを引用するなら、観点の変化で自分の精神システムにある傷ついた行を探し出し、適切に機能するものへと置き換えるのである。

人はよく、このような心理状態の変化を「ひらめき」として述べている。だれもがこうした経験をしているはずだ。そしてこうした経験をしたときに共通した感覚が幾つかある。まず、たいてい、違う自分を感じる。世界さえ、あたかも突然変わったかのように違って見える。通常、私たちは何かをひらめいた瞬間、「何で先に教えてくれなかったの？」「目の前に答えがあったのに、なぜ気がつかなかったのだろう？」「こんなに簡単なことが、なぜ分からなかったのだろう？」と感じるはずだ。もう一つの「ひらめき」体験の興味深い現象は、そのひらめきの瞬間までに非常に時間がかかったにもかかわらず、あたかもこの新しい自分のアイデンティティーの一部が、前から自分の一部であったかのごとく感じるところだ。ひらめきを経験する以前の「それまでの自分」が信じられないのである。

要するに、一貫して成功するトレーダーになるためにすべきことの多くに、すでに気がついているのかもしれない。しかし何かに気がついているからといって、自動的に自分自身に機能するようになるとはかぎらない。意識は必ずしも信念とはならないからだ。何かしら新しいものについて学び、そしてそれに同意したとしても、それを実行するレベルにあるわけではないのだ。

先ほどのヘビを恐れるトレーダーの例を考えてみよう。彼はすべてのヘビが危険ではないことは十分承知している。そして危険なヘビとそうでないヘビを見分ける方法を知るのは、そう難しいことではないだろう。しかしこうした違いを見分ける方法を学んだからといって、突然、「危険でないヘビ」を恐れなくなるだろうか。それで恐怖や金縛りにあわずにヘビとかかわれる心の環境のレベルに彼の意識が到達したと確信できるだろうか。いや、このように確信はできない。あるヘビは危険ではないという意識と、ヘビへの恐怖がお互いに矛盾しながら、心の環境に平行して存在しているのである。彼の前にヘビを出したとき、彼は容易にそのヘビは危険でなく、自分に害はないという知識を認識するかもしれない。ところがそれと同時に、たとえ自分がそうしたいと思っても、ヘビに触るのはかなり難しいことが分かるだろう。

しかし、これはヘビに対する恐怖が、彼の残りの人生に運命づけられたことを意味するのであろうか。それは彼がそう望んだ場合のみだ。それは実に意思の問題である。自分の恐怖心を解消するのはたしかに可能である。しかしそうなるように鍛錬する必要がある。そして鍛錬するだけの十分な動機が必要である。私たちの多くは非合理的な恐怖と理解されるものがあっても、その矛盾をそのままにする生活を選んでいる。なぜなら恐怖心を克服するのに必要な感情の鍛錬を経験したくないからである。

この例では、矛盾しているものは明らかである。しかし、長年トレーダーたちの相談に乗ってきたからこそ、私はリスクと責任感にかかわる典型的な矛盾と対立を幾つか発見しているが、困ったことに、通常トレードではこうした矛盾がはっきりしない。どれほど「成功したい」という動機があっても、そのプラスの気持ちを簡単に相殺してしまう矛盾した信念が幾つかある。しかし、それらは簡単に分かるものではないのだ。

矛盾した信念だけでなく、信念に対する誤った意識も問題である。その一例が、典型的トレーダーの「自分はリスクを取っている」という信念だ。その断言は根本的レベルにまで浸透している。しかし実際は、マーケットを解釈しようとする根本的力学は、できるかぎりリスクを避けようとすることに向けられている。

矛盾した信念と誤った意識は、心のソフトの傷ついたプログラムに当たる。このプログラムでは集中力を維持できず、目的を達成する能力を破壊してしまう。一方の足でアクセルを踏みながら、もう一方の足で同時にブレーキを踏んでいるようなまねをする。そして最初はトレード方法の習得が楽しく、挑戦という神秘性が魅力的に映るが、やがて正真正銘の怒りへと変わってしまう。

私が大学生だった六〇年代末、お気に入りの映画の一つにポール・ニューマン主演の『暴力脱獄』があった。当時、非常に人気のあった映画で、読者のなかにも深夜放送でご覧になった方もいるかもしれない。主人公のルークはジョージアの刑務所に入っていた。彼が二度目の脱獄をして捕まった後、刑務所長と看守たちは、ルークに三度もバカなまねをさせないように決意した。そこで、休みなく過度の重労働を負わせ、断続的に暴力を加えて、こう問いただしたのである。「正気になったか、ルーク？」。結局、かなりつらい目にあった揚げ句、ルークはついに降参して自分が正気になったと言う。刑務所長たちは「もしそれがうそでまた逃げ出そうとしたら、間違いなく殺す」と告げた。もちろんルークはまたも脱獄を試みた。そして彼らの言葉は本当だった。看守は彼を殺害したのだ。

ルークのように、多くのトレーダーが意識しているか否かにかかわらず、マーケットを打ちのめして自分の思いどおりにしようと試みている。その結果、金銭的に、そして精神的にやられてしまう。マーケットから自分の欲求を得るのは比較的簡単で、はるかに満足感があるだろう。しかし、まずは自発的に「正気」にならなくてはならない。

第五章 認識の力学

The Dynamics Of Perception

　マーケット情報からもたらされる苦痛の脅威をいかにして取り除くか？　その方法の教授が本書の大きな目的の一つである。実際のところ、マーケットは楽しい情報もつらい情報も発しない。マーケットにとって、すべては単なる情報でしかない。マーケットが特定のタイミングでどうしたらよいか教えてくれているように感じるときがあるかもしれないが、そうではない。情報の認識方法や感じ方を決定するのは、自分自身の心の枠組みなのだ。つまり、マーケットが提供する情報にかかわらず、自分の優位性によって機会の流れに乗ろうと自発的に反応できる精神状態であるかどうかは、すべて自分の心の枠組みにかかっているのだ。

プロはマーケットのもたらすものが何であれ、苦痛として認識しない。何の脅威も感じていない。脅威を感じていないのだから、それを防ぐ必要がない。したがって、意識的・無意識的に防衛する理由もない。だからこそプロは、その他大勢が驚嘆するような行動がとれるのである。彼らが流れのなかにいられるのは、絶え間ない機会の流れを理解しているからである。そして最高峰のトレーダーは、流れのなかにいないときその事実を察知し、建玉の縮小やトレードを控える対応ができるのだ。

プロ並みにトレードできるようになるのを目的とするならば、客観的視点で偏見なくマーケットを見られるようになる必要がある。抵抗なく躊躇なく行動できなければならない。ただしある程度積極的な自制心で、過信や自己陶酔の悪影響を防ぐ必要がある。つまるところ、目標は独特の精神状態、トレーダー的精神を確立する能力の習得である。これが達成できれば、トレーダーとしての成功にかかわるあらゆる要素が身に着くだろう。

その目的達成を支援するため、この章ではマーケット情報と自分との関係を再定義する方法を教授しようと思う。そうすれば、情報の幾つかを脅威として認識しなくなるだろう。「再定義」することで今までの認識を変えるつもりだ。そうすれば精神的苦痛に陥らずに、可能性ある機会に集中し続けられる心の枠組みを利用できるようになるだろう。

心のソフトを修正する

すなわち、心のソフトからバグを発見して修正する。そのために、まずは心のエネルギーの性質についての理解から始めてみたい。エネルギーの利用法を習得すれば、マーケット情報に対して不要なマイナス感情を生んでしまう認識を変化させられるからだ。そこには課題がたくさんあるが、幾つかの単純な心境の変化で、トレードの結果が大きく変化する事実に驚くはずだ。

トレードのプロセスは、機会の認識から始まる。機会が認識できなければ、トレードをする理由がないからだ。したがって、心のエネルギーを検証する取っ掛かりとしては、認識プロセスの分析が唯一適当な手段だと思う。認識の根底にある力学とは何か、どの要素がどのように情報を認識し、どのような可能性を認識するのか、認識がそのときの経験をどのように関連づけるのか。

おそらく認識の力学を理解し、また上記の疑問に答える最も簡単な方法は、この地球に存在するすべてのものをフォースの集合体としてとらえることであろう。すべてとは文字どおりすべてである。フォースは、自身を独自のものとしている性質・性格・習性についての情報を発している。

外部に存在するすべてのもの、あらゆる植物、あらゆる生命体、天気・地震・火山噴火といったあらゆる気象現象、あらゆる活発・不活発な物理的事象、あらゆる光・音波・マイクロ波・放射線といった無形の現象が、その存在の性質について情報を発している。その情報は、私たちの五感にフォースとして作用する可能性がある。

話を先に進める前に、「発する」という動詞だが、これは無生物の物体を含め、すべてが能動的な表現をしているという意味で、包括的に用いていることを指摘しておく。なぜこのようなことができるか説明するため、石のような単純なものについて考えてみよう。これは無生物の物体だ。独自の原子と分子が集合して、自身を石として表現している。ここで「表現している」という能動的な動詞を用いたのは、石を形成している原子と分子に、一定の動きがあるからだ。つまり、たとえ石が（最も抽象的な意味を除いて）活動的に見えなくても、私たちの感覚にフォースとして作用する性格や性質があり、それがその存在の性質を経験し区別する理由となっている。例えば、石には感触がある。指で石の表面をなぞれば、その手触りは触感にフォースとして作用する。石には形があり、色がある。それは私たちの視覚にフォースとして作用する。石がある場所には、ほかに何の物体もない。そこに見えるのは空間でもないし何かほかの物体でもなく石である。石をにおえば、私たちの嗅覚にフォースとして作用する。また何かしらの味がある（もっとも、石だと分かっているものを、私はなめた経験はないが）。
私たちが、環境のなかでその特性と性格を表現するものに出合うと、両者の間でエネルギーのやりとりが生じる。外からのエネルギーは、それを表現するものが何であれ、私たちの神経システムのなかで電気的刺激に変換され、私たち内部の精神環境に蓄えられる。より具体的に説明しよう。自分が見たもの、聞いたもの、なめたもの、においたもの、感じたものは何であれ、感覚器官から電気的エネルギーの刺激に変換され、そのものの性質についての記憶や区別を自分の心の環境に蓄えるのである。

これは大半の人にとっては、かなり自明だと思う。しかし一般的に、あまりにも当たり前すぎると思い込んでいるため、そこに潜む幾つかの奥深い意味に気がつかないでいる。まず、自分自身と外部環境にあるものとの間に存在する因果関係について考えてみよう。結果的に外部のフォースと出合うと、「エネルギー構造」と私が呼んでいるものが心のなかに生じる。日常生活に必要とする記憶、区別、そして結果的には信念が、構造的エネルギーとして心の環境に存在するのである。構造的エネルギーとは、抽象的な概念である。読者のなかには、こう考える人がいるかもしれない。「そのエネルギーはどんな形をしているのか？」。しかしこの疑問を解く前に、さらにより根本的な疑問を解決しておく必要がある。それは「そもそも記憶・区別・信念がエネルギーの形で存在するると、どうして分かるのか？」である。

それが科学的に証明されているのか、科学の世界で完全に受け入れられているのか私には分からないが、心的要素にはほかにどのような形態のものが存在するのか考えてほしい。原子と分子が集合したものは目に見える。したがって間違いなくそこにあると分かる。もし記憶・区別・信念が物体として存在していれば、それを目にできるはずだ。しかし私が知るかぎり、そのような発見はない。科学の世界では、脳細胞を（死んでいる細胞も生きている細胞も両方とも）解剖し、詳細に調査し、それらの機能から脳に幾つかの領域図を作っている。しかし、だれもまだ自然な形で、記憶・区別・信念を「目にして」いない。「自然な形で」とは、科学者がある記憶を含んだ脳細胞を目にできたとしても直接その記憶は経験できない、という意味である。その記憶を持った人が生きていて、何かしらの方法でその表現を選んだときのみ、経験できるのだ。

もし記憶・区別・信念が物体として存在していなければ、実際のところ、エネルギーとしての形態以外に存在しようがない。では、これを事実とするなら、このエネルギーは特定の形を持つだろうか。そしてそれは、存在を表現する外部のフォースを反映するように構造化できるのだろうか。間違いなく「イエス」だ。では、実際にこの世に、形や特定の構造を持つエネルギー的なものがあるだろうか。ある！　幾つか例を挙げてみよう。

思想はエネルギーである。言語で考えているため、自分の思想は、自分の考えている特定の言語にのっとった制限や規則で構造化されている。声に出して自分の思想を表現するとき、音波を作り出している。それもエネルギーの形だ。音は声帯が作用して発せられ、声色は自分のメッセージの内容で構造化されている。マイクロ波はエネルギーである。電話の音声がマイクロ波によって中継されているが、その伝達するメッセージを示すために、マイクロ波のエネルギーは構造化されていなければならない。レーザー光線はエネルギーである。今までにレーザー光線を用いたショーや、レーザー芸術の公演を見た経験がないだろうか。そのときに目にしているのは、純粋なエネルギーが、その芸術家の創造的願望を反映した形を描いているものである。

これらすべてが、エネルギーがどのような形で、どのような構造を持つか、という格好の例である。こうした例は枚挙にいとまがないが、もう一つ最も文章で説明しやすい例を挙げよう。最も根本的な意味で、夢とは何だろうか。私は夢がどのような意味を持つかとか、その目的は何だと思うかと聞いているのではない。それは何なのか、その特性は何なのかと聞いているのだ。夢が脳の境界内で起こっていると確信するならば、それは原子と分子の集合体ではない。なぜなら、夢のなかに存在し、生じているすべてのものがそのスペースに入りきらないと思うからだ。夢での体験は、五感を通して知覚したときに認識したものと同じ形と様相があると思う。唯一可能性のあるのは、夢が構造的エネルギーの一形態であることだ。そうであれば、エネルギーはどのような形にも様相にもなるからだ。そして、実際に場所を取る必要がない。

お気づきだろうか。本当に奥深い意義がここにある。つまり外部環境と出合った結果、習得した記憶・区別・信念が、環境とその機能について自分が学んだことを反映しているのであれば、また記憶・区別・信念がエネルギーとして自分の心の環境に存在しているのであれば、さらにエネルギーが場所を取らないとすれば、自分たちの学習能力には無限の可能性があると言えるのではないか。いや、「言える」のではない。断言できる。

人間の意識の発達と全体的学習量について考えてほしい。一般的な現代人が、わずか一〇〇年前の人と比べて、どれだけ効率的に学習する必要があるだろうか。これはつまり学習能力に限界がないことをはっきりと示している。一〇〇年前に生きていた人が認識している情報量と、その延長上で生きている私たちが認識している情報量には、大きな差がある。もし一〇〇年前の人が現代にタイムトリップしてその差を体験したら、訳が分からなくなるに違いない。

認識と習得

ただし注意してもらいたいのだが、習得能力と記憶容量は同じ意味ではない。習得とは記憶容量だけでなく、学んだことが思い出せる能力である。その前提のうえで、すべてを知ることを阻止しているのは何か。また何もかも知っているとすれば、あるときにあるものが表現しているあらゆるすべての性格・性質・特性の認識を阻止しているのは何か。私たちの認識を妨げているのは、いったい何なのだろうか。

これらの疑問点が「なぜエネルギーとして存在している記憶・区別・信念といった心的構成要素を理解しなければならないか？」という課題を理解するポイントとなる。どのようなエネルギーも、その形を表現するフォースとして機能する可能性がある。フォースとしてその形や中身を表現して、私たちの内側にある感覚に作用する。つまりその過程で、環境にしてみれば、可能なかぎりの多くの情報、そして文字どおり目に見えない可能性が備わっている情報を提供しているのに、心のエネルギーが、あるときに認識した情報の影響を制限しようとするのである。

いかなるときも環境は、その性格・性質・特性について膨大な情報を発している。その情報のいくらかは、私たちの感覚の生理学的範囲を超える。例えば、私たちの目にはすべての波長の光が見えるわけではない。また私たちの耳には環境が発するあらゆる周波数の音が聞こえるわけではない。明らかに、私たちの感覚の生理学的能力を超える範囲の情報があるのだ。

では、私たちの感覚で受け取れる、環境が発している情報とは何であろうか。私たちは自分の感覚の生理学的範囲内にあるすべてのものが表現するあらゆる区別・特性・個性を見たり、聞いたり、味わったり、においたり、感じたりしているだろうか。絶対にそんなことはない！私たちの感覚機構が外部環境を受容すると同時に、心のなかにあるエネルギーも受容してしまい、このエネルギーが外からの情報の大部分の認知を断固として制限し妨害しているのだ。

冷静に考えてもらえれば、この論理をいくらか分かってもらえると思う。例えば、単にまだそれについて学んでいないという理由から、外部環境が表現しているものを認識できない例は数多くある。これは簡単に説明できる。チャートを初めて見たときのことを思い出してほしい。何を見ただろう。何をはっきりと認識しただろう。前もって何も聞かされていなければ、トレードを知らない人たちと同じように、たくさんの線が意味なく並んでいるのを目にするだけだ。しかし普通、トレーダーがチャートを見れば、その市場の性格・特性・値動きのパターンを理解し、チャートが市場参加者の集団的動向を示していると分かるはずだ。

初めての人にとって、チャートは未分類の情報である。未分類の情報は普通、錯乱状態を生む。おそらくだれもが、初めてチャートと出合ったときにこのような体験をしたはずだ。しかし徐々に、その情報の区別の仕方を学ぶ。例えば、値動きとトレンド、トレンドライン、建玉整理、支持・抵抗、押し・戻り、出来高・取組高との明確な関係である。ほかにもまだいろいろあるが、値動きが個人的必要性、目的、願望を満たす機会を表現しているかどうか見分けるために、こうした区別を学んでいる。区別にはそれぞれ意味があり、その貢献度や重要度に応じて利用しているのである。

ここで、初めてチャートを目にしたときのことを思い出してもらいたい。現在見えているものと、そのとき目にしたものに差があるだろうか。そのとおり。未分類のたくさんの線ではなく、それらの線から今までに学んだすべてのことが分かるだろう。そして学んだすべての区別だけでなく、その区別が示すすべての機会を分かっているのである。

現在チャートを見たときに分かったすべてのことは、かつても目にしていた。では、何が違うのか。そう、心のなかにある構造的エネルギー（蓄えた知識）が、自分の目でフォースとして作用し、自分が学んだ幾つかの区別を認識させたのである。初めてチャートを目にしたとき、そのエネルギーはなかった。したがって、今では理解できる機会がすべてそこにあったにもかかわらず、そのときは見えていなかったのである。裏を返せば、そのチャートにおけるあらゆる指標の関係に基づいたあらゆる区別を学ばないかぎり、まだ学んでいないものは依然として見えていないままなのである。

「常に周囲にあり、目の前にある情報に、どれだけ見えていない機会が備わっているか」という概念を、ほとんどの人が理解していない。たいていは、こうした機会について学ぶことはけっしてなく、最後まで見えていないまま終わる。まったく新しい（または特別な）状況に置かれないかぎり、あるいはまったく開放的な姿勢で行動しないかぎりは、まだ学んでいないことを理解できないだろう。それはもちろん問題である。物事を学ぶためには、何かしらの方法でそれを体験できなくてはならない。そこで論点となるのが、学習を防止してしまう閉回路（訳者注　スイッチやその他の素子の接続が閉じていて電流が流れる状態になっている回路）である。この知覚の閉回路はだれにもある。なぜならそれらは、心のエネルギーが私たちの感覚上でその存在を表現しようとする自然の機能であるからだ。

「人は自分が知りたいことを知る」という文句を聞いたことがあるだろう。私はちょっとその表現を変えてみたい。「人は自分が知る方法を学んでいるものしか知ることはできない。そしてその他のことは、まだ学んでおらず発見されるのを待っているものが何であれ、その認知を阻止するエネルギーの解消法を知るまで、見えないままである」

この概念をより明確に解説するため、一つの例を出そう。この例で、私たちが環境を知覚し、体験するのに、心のエネルギーがどのように影響し、それがいかに実際の因果関係を逆転させているか証明しようと思う。初めて犬と出合った非常に幼い子供がいたとする。

それが最初の体験であるため、犬に関するその子の心の環境は、言ってみればまっさらな状態だ。犬の性質について何の記憶もないし、もちろん何の区別もない。つまり初めて会う瞬間まで、子供にしてみれば犬は存在していない。もちろん環境にしてみれば、犬は存在する。そしてその子の感覚に体験を生み出すために、フォースとして作用する可能性を持つ。換言すれば、自分の性質を表現している犬がその子の心の環境のなかに何かしらの影響をもたらす原因となるのである。

その犬はどのような影響を及ぼす可能性があるだろうか。犬には表現の範囲がある。表現の範囲とは、犬が人間に向かってする多くの行動である。なついたり、じゃれたり、尻尾を振ったり、飼い主を守ったり。あるいは敵意を示す、つまり危険な状態にもなる。これらはその可能性ある行動のうちの数例にすぎないが、こうした特性のすべてを観察し、体験し、学習するのである。初めて犬と出会ったとき、この子の心の環境には明らかに、どのように対処したらよいか教えてくれるものはない。見たことがない、分からないという未分類の環境情報は経験している物事を追求したくなれば、好奇心の感覚を生む。そうでなければ、錯乱状態となる可能性があり、もしその情報を理解できる（あるいは意味をもたらす）組織化された骨組み（あるいは環境）のなかにいなければ、それは容易に恐怖へと変わる。

この例では、この子に好奇心の感覚が芽生え、さらなる知覚体験を得ようと犬に向かっていったとする。ここで注目してもらいたいのは、いかにこの子が何も分からない状況に、文字どおり自分から入り込もうとしているかである。しかしこの例では、目の前の環境のフォース（つまりその犬）が、やってくる子供に好意的な反応をしなかったとする。もともと卑しいか、気分の悪い日であったかはともかく、この子が興味を持って近づいてきた瞬間、その犬がかみついたとする。その攻撃は非常に執拗なもので、だれかがその犬をこの子から引き離さなければならないほどであった。

もちろん、こうした不幸な体験は滅多にないとはいえ、あり得ない話ではない。この話を作った理由は二つある。一つは、自身の直接的経験、あるいは知人の経験から、大半の人に似たような話があるはずだからだ。そしてもう一つは、この経験の根本的力学をエネルギーの観点から分析すると、①どのように自分の心は考えるように設計されているのか、②情報処理のプロセス、③こうしたプロセスが自分の経験した物事にどう影響するか、④新しい可能性を認識する能力——について理解できるからだ。たった一つの例から、多くの洞察をしているように感じるかもしれない。しかし、この例に含まれている原理は、ほとんどすべての習得したことの根底にある力学に当てはまる。

身体的な傷と感情的トラウマを受けた結果、この子には犬が自分たちを表現する方法に対して、ある記憶と一つの区別が生じる。この子の、自分の経験を思い出す能力が正常であれば、この出来事は衝撃的経験としてすべての感覚に残るだろう。例えば、この攻撃は、自分が見たものに基づいて心のなかにイメージとして残る。そして自分の聞いたものが音として残る。その他の三つの感覚にも同じ様にして記憶が残るだろう。

しかし、自分の記憶のなかにある知覚したデータよりも、その知覚したデータにあるエネルギーが重要である。基本的に私たちには二種類の心のエネルギーがある。一つはプラスのエネルギーだ。愛情・自信・幸福・歓喜・満足・興奮・熱狂などの心地良い感情である。もう一つはマイナスのエネルギーだ。恐怖・怖気・不快・背信・後悔・憤慨・混乱・不安・重圧・欲求不満など、普通は精神的苦痛としてすべてみなされるものである。

この子の犬との最初の経験は激しい苦痛であったため、どの感覚に影響したかにかかわらず、この経験についてのすべての記憶が苦痛・不愉快、つまりマイナスのエネルギーになる。このマイナスの心のエネルギーは、ほかの犬に出合ったとき、彼の認識と行動にどのような影響を与えるだろうか。その答えは明白すぎて、バカバカしい質問に思うかもしれない。しかし、根底にある関係は明白ではないので、我慢してほしい。そう、別の犬と出合った瞬間、彼が恐怖を体験するのは明らかだ。

「別の」という言葉が、彼の出合った次の犬を指している点に注意してほしい。要は、「どんな」犬でも彼は恐れを感じてしまうのだ。実際に彼を襲った犬だけではない。次に出合った犬が、たとえ世界で最も友好的な犬で、陽気で愛らしい性質しか表現していなくても、彼の恐怖は依然としてそのままで、少しも変わらないだろう。そしてその「次の犬」が一緒に遊ぼうと近づこうものなら、その恐怖はさらにエスカレートするであろう。

だれもが一度や二度は、自分にとっては少しも危険でも脅威でもないのに、だれかが恐怖を感じている状況を目撃した経験があるはずだ。そのとき口にしなかったとしても、おそらく「この人は不合理だ」と思ったであろう。また、恐れる必要がない理由を説明しようものなら、おそらく自分の言葉にはほとんど影響力がないと思い知るだけであっただろう。

この例でも同様に、「この子は不合理だ」とすぐに分かるはずだ。なぜなら私たちからすれば、この子の気持ちが集中しているもの以外の、ほかの可能性の存在が明白だからだ。しかしこの子の恐怖は、例えば前回のトレードに負けて次のトレードを仕掛けるときの自分の恐怖（ためらい）よりも、不合理だと言えるだろうか。トップトレーダーは同じ論理で、その恐怖を不合理だと思うのだ。なぜなら「今この瞬間」にある機会は、前回のトレードとは明らかに何の関係もないからである。単に優位性に賭けているのであって、それぞれのトレードはほかのトレードとは統計的に独立している。もしこの意見に同意できないのであれば、その人はトレードを恐れているはずだ。しかし、その恐怖はまったく根拠のないものなのだ。

認識とリスク

知ってのとおり、ある人のリスクの認識は、他人には不合理な考え方だとすぐ分かる。リスクは人によって異なるが、そのときにリスクを認識した人にとっては、それははっきりしていて、疑いようがない。初めて子供が犬と出合ったとき、この子には興奮と好奇心が湧き起こっていた。ところが事件後、数カ月後であろうが数年後であろうが、次の犬との出合いが自動的にこの子を恐怖の状態へと突き落としてしまうのである。彼の心はこの事件からもたらされた情報を、どのように考え、処理しているのだろうか。恐怖感を、危険な状態を警告する自然のメカニズムだとすると、次の犬との出合いが何かしら恐ろしいものであると、自動的に彼に伝える心の機能とはいったいどのようなものなのだろうか。その子の自然な好奇心の感覚に、いったいどんなことが起こったのだろうか。私たちが学べる犬の性質は、この一回の経験が彼に伝えていることよりも間違いなく多い。しかも私たちの心には限りない学習能力があると分かっている。それなのに、なぜ彼から恐怖を払拭するのがほぼ不可能となるのだろうか。

連想の力

最初はこうした疑問をかなり難しく感じるかもしれないが、冷静に考えてみれば、まったく簡単だと分かるだろう。すでに答えが出ている人もいるはずだ。私たちの心のなかにはもともと設計された性格があり、それが外部環境にある性格・性質・特性に類似したものから、心の環境にある記憶や区別を連想し、関連づけてしまうのである。つまり、先ほどの犬を恐れている男の子の例で説明すると、彼がこれから出会う次の犬（ほかの犬）は、心理的苦痛を経験させようと攻撃してきた犬である必要がない。この子の心に両者を関連づけられる類似点や相似点さえあれば十分なのである。

「連想」という私たちの心の自然な性向は、自動的に生じる無意識な心の機能である。つまり考えたり判断したりする必要がない。この無意識な心の働きは、心臓の鼓動のように意思のいらない身体的機能と類似している。心臓が鼓動するプロセスを意識する必要がないのと同じように、このような体験や感情の関連づけについて考える必要がない。それは私たちの心が情報を処理するうえでの、ごく自然な機能である。そしてそれは心臓の鼓動のように、私たちの日常生活に奥深い影響を持つ機能なのだ。

双方向のエネルギーの流れが因果関係を逆転させてしまっている。そしてこのプロセスが心のなかにある認識以外の、ほかの可能性の認識を（不可能でないにしても）難しくしてしまうのである。これからその理由を説明するが、分かりやすくするため、このプロセスを小さく区切ってみようと思う。そして一つずつ何が起こっているか探ってみたい。すべてにわたって少し抽象的になるかもしれないが、このプロセスの理解がトレーダーとして一貫した成功を達成するために自分の潜在能力を切り開く重要なカギとなるはずだ。

では、まず基本的考え方から始めよう。この子の外部に構造的エネルギーがあり、またこの子の内部にも構造的エネルギーがある。外部のエネルギーは楽しそうな自分を表現しようとしている友好的な犬という形でプラスである。内部のエネルギーは、その子の最初の犬との経験を表す心のイメージ・印象という形を持つマイナスの記憶である。

内外両方のエネルギーは、この子の感覚を刺激する可能性がある。その結果、この子が経験する二つの異なる状況が生まれる。外部のエネルギーは、この子が非常に楽しめるかもしれないというフォースとして、彼に作用する可能性がある。その犬は陽気さ、友情、さらには愛らしさといった性格を態度で示している。しかし肝心な点は、そうした性格をこの子が犬でまだ経験していないところである。つまり、彼がその存在を認識していない性格なのだ。先ほどのチャートの例と同様、彼が学習しようとする精神状態にならないかぎり、いまだ学んでもいないことは認識できないはずだ。

内部のエネルギーもまた潜んでいる。言ってみれば、その表現の機会を待っているだけだ。ただしこのエネルギーは、彼の目と耳に作用したとき、脅威を感じる原因となる。そして今度は、恐怖・驚愕といった心理的苦痛が生まれる。

こう設定すると、この子には楽しい体験と恐ろしい体験の選択肢があるように見えるかもしれないが、実際はそうではない。少なくともその瞬間は違う。この状況に存在する二つの可能性のうち、経験するのは楽しみではなく、苦痛や恐怖であるのは疑いようがない。これには幾つかの理由がある。

まず前述のとおり、私たちの心は自動的かつ瞬間的に、類似した性格・性質・特性のある情報を連想し関連づけるようになっている。彼の外部にある犬の形をしたものは、彼の心のなかにあるものと姿も吠え方も似ている。ただし、この子の心が両者を関連づけるのに必要な類似の度合いは不明だ。つまり、どれくらい似ているか似ていないかで、心のメカニズムがその複数の情報を連想し関連づけるのかよく分からない。だれの心も似たように機能するが、同時に個人差がある。類似か否かには許容範囲があり、その範囲内で独自の度合いがあるはずだ。

次の犬が彼の目と耳に触れ、その姿と吠え方が記憶にこびりついている犬と十分類似していれば、彼の心は両者を自動的にくっつけてしまうのは間違いない。そして、この関連づけはこの子の記憶にあるマイナスのエネルギーを引き起こし、彼の体から発せられるのである。つまり、悪寒や脅威といった激しい不快感に圧倒されてしまうのだ。そのとき経験した不快感や心理的苦痛の度合いは、犬と初めて出会ったときに被ったトラウマの度合いと同じレベルである。

そして次に起こるのは、心理学者が「投影」と呼ぶ現象である。私はこれをもう一つの瞬間的連想と呼んでいるが、この子は自分の認識から、現状をはっきりとした疑いのない真実だと思ってしまうのである。体はマイナスのエネルギーで包まれている。また同時に、犬との接触を知覚している。その瞬間、彼の心は、目と耳が知覚した情報が何であれ、内部にある自分が経験した苦痛のエネルギーによって、あたかも痛みや恐怖の根源がそのとき目にした犬にあるかのように、連想してしまうのである。

心理学者は、今私が述べたような力学を、投影と呼んでいる。ある意味、その瞬間この子が自分の経験している痛みを、その犬に投影しているからである。そしてその苦痛のエネルギーが彼に跳ね返ってくるのだ。そのため彼は、犬を脅威・苦痛・危険なものとして認識する。このプロセスは、二匹目の犬の性格・性質・特性と彼の記憶のなかにある最初の犬のものを一緒くたにしてしまう。たとえ二匹目の犬が、実際に彼を襲った犬のしぐさとまったく違うという情報を発していても意味がない。

二匹の犬、つまり自分の心のなかにいる犬と自分の外にいる犬が、まったく一緒だと感じてしまうため、たとえ後者の犬のしぐさが心のなかにいる犬と何かしら異なっていても、彼にはまったく何の区別もできない。したがって、次の犬との出会いが新しい性質を体験できる機会になるにもかかわらず、恐ろしい危険な犬だと認識してしまうのである。

自分の経験している現状がはっきりとした疑いようのない真実だとこの子に認識させようとしないこのプロセスについて少し考えてもらいたい。たしかに彼が身をもって体験した苦痛と恐怖が、はっきりとした真実であるのは間違いない。

しかし彼が認識した可能性についてはどうだろうか。それらは真実であろうか。私たちにしてみれば、それは違うと分かるはずだ。しかし彼にしてみれば、どうしても現状を真実として認識できない。ではどうするか。まず、まだ学んでもいない可能性は認識できない。そして恐れていたら新しい事柄を学習するのは非常に難しい。なぜなら、すでに説明したとおり、恐怖はやる気を極度に弱めてしまうからだ。恐怖は躊躇、自己防衛の準備、逃避、焦点の狭小化を招く。そしてそれらすべてが、前向きな行動を非常に難しくしてしまうのである。

次に、この子に関するかぎり、犬は苦痛の根源であり、ある意味でそれは真実である。犬が心のなかにすでに存在する苦痛を引き出す原因となるからだ。しかしそれが本当に苦痛の根源となるのではない。プラスのエネルギーを持った犬に、自動的に無意識的な心のプロセス（彼がまったく気がついていないプロセス）が即座に機能して、自分のマイナスのエネルギーと関連づけてしまうのである。したがって、この子にとっては、犬についての認識がまったくの真実であるため、恐れてしまうのである。

犬がどう行動しようが、だれかが怖がる必要のない理由を教えようが、問題ではない。なぜなら、その犬がどのようなプラスの情報を発しようが、彼に苦痛・恐怖・脅威の経験が完全な自己形成であるという考えが微塵もない以上、マイナスの観点で認識するからだ。

では、この子が自分の苦痛や脅威を自己形成する可能性があり、また同時に自分のマイナス経験がその環境から生じると確信しているのと同じように、トレーダーもマーケット情報との関係から自分の恐怖心や心理的苦痛を自己形成する可能性があり、苦痛と恐怖は間違いなくその環境から生じると確信しているのではないだろうか。根本的心理力学は、まったく同じように働くのである。

トレーダーの基本的目標の一つは機会の認識であって、苦痛の脅威を認識することではない。機会への集中力を維持する方法を習得するためには、脅威の根源をはっきりと知って理解しておく必要がある。マーケットではないのだ。マーケットは中立の立場で値動きの可能性についての情報を発している。と同時に、収益性のある絶え間ない機会の流れを、見ている人たちに提供しているのだ。あるとき自分に恐怖を感じさせるものを認識したと思えば、このように自問するとよい。「その情報は内在的脅威なのか、それとも（上記の幻想のように）自分の心理状態の影響が自分に跳ね返っているのを経験しているにすぎないものなのではないか？」

これはなかなか理解しにくい概念だと思う。そこで一例を挙げてこのポイントを解説してみる。シナリオはこうだ。自分は二〜三回立て続けにトレードに失敗している。マーケットを見ていると、用いている指標が「機会が今現れた」と示している。しかし怖気づいて、即座にトレードできない。そのトレードは非常に危険だと感じてしまう。そして非常に危険なので、これが「本当の」シグナルなのか疑問を抱き始める。その結果、「このトレードはうまくいかないだろう」という言い訳になる情報を集め始める。それは普段は考慮も注目もしていない情報であり、たしかに自分の売買法の一部となる情報ではない。

その間もマーケットは動いている。そして不幸にもマーケットは、すでにシグナルが示した方向へと進展し、もし躊躇していなければトレードを仕掛けていたはずの値段から、遠く離れてしまっている。そして葛藤が生まれる。勝機を逃したと考えるのが苦痛なので仕掛けたい。しかしマーケットは仕掛ける値段からすでにかけ離れていて、それだけリスクが増加している。心のなかで激しい綱引きが繰り広げられる。「好機を逃したくない。しかしマーケットのブレで損をしたくない」。そして結局、何もしない。その矛盾で感覚が麻痺してしまったからだ。そして静観を決め込んだ理由を「あまりにも危険だったので、マーケットを追いかけるのをやめた」として、自分に言い聞かせる。ところが、もしトレードしていれば大儲けしていた方向へとマーケットが続伸しているのを見て、激しい後悔の念にさいなまれるのである。

このシナリオに共感するのであれば、自分が躊躇したとき、マーケットがどのように動く可能性があると認識したのか、つまり自分の心に跳ね返ってきた自分の心理状態はどのようなものであったか考えてもらいたい。マーケットはシグナルをもたらした。しかし客観的・積極的にシグナルを認識できなかった。それが勝利と利益といったプラスの感覚を体験できる機会とは思えなかったからだ。しかし、それこそマーケットが自分にもたらした可能性だったのである。

それでは、今度は以下のシナリオについて考えてほしい。直近のトレードで逆に二〜三連勝していたとする。シグナルに対して何か違った認識をするのではないだろうか。最初のシナリオよりも、勝算があると認識するのではないだろうか。三連勝していたら次のトレードを仕掛けるのに躊躇するだろうか。まったくあり得ない！　むしろ、典型的なトレーダーならば通常よりもさらに大きな建玉を仕掛けてしまうような、過激な動機をもたらす可能性がある。

どちらの状況でも、マーケットは同じシグナルを発している。しかし心理状態が違う。最初のシナリオではマイナスの恐怖に包まれていたため、失敗の可能性に集中してしまい、躊躇してしまう結果となった。もう一つのシナリオでは、ほとんどリスクについて考えていない。さらにはマーケットが夢を実現させてくれていると思い込んでいるかもしれない。そして、自分を抑えきれなければ、資金的に無理をしてしまいやすい状態にある。

「その固有の性格を表現しようとマーケットが発している情報は、プラスもマイナスも帯びていない」という事実を理解してほしい。情報がプラスやマイナスを帯びているのは、唯一自分の心のなかだけである。それは情報が処理される過程で生じる。つまり、失敗や苦痛、あるいは勝利や歓喜に自分を集中させようとする原因は、マーケットにはないのだ。情報がプラスやマイナスを帯びてしまうのは、二匹目の犬が完全に陽気さや友情しか示していないのに、それを脅威や危険として男の子が認識してしまうのと同じで、無意識的な心のプロセスが原因なのだ。

私たちの心は、外にある情報をすでに心のなかに知っているものとして連想してしまう。そして外の環境を、こうした環境に関連する記憶・区別・信念とまったく同じものであるかのように見てしまう。その結果、二〜三回連続でトレードに負けた最初のシナリオの場合、マーケットに機会が出現したという次のシグナルを過度に危険だと感じてしまう。自分の心が「今この瞬間」と直近のトレード経験を自動的・無意識的に関連づけているからだ。関連づけで、負けの苦痛を引き出しているのだ。恐怖心を生み出しているのだ。そしてそのときに現れた情報を、消極的観点で認識する原因となる。あたかも自分の脅威となる情報をマーケットが表現しているかのように感じてしまう。そして自分の躊躇を正当化してしまう。

　もう一つのシナリオでは、同じプロセスが原因となって、過剰に積極的な観点で状況を認識してしまう。なぜなら「今この瞬間」と直近の三連勝に有頂天になって、過剰にプラスな、自己陶酔の心理状態を連想するからである。あたかもリスクのない機会をマーケットが提供しているかのように感じてしまう。そして自分が無理するのを正当化してしまう。

第一章で説明したように、損失とミスの原因となる多くの心理的パターンは非常に分かりきったもので、しかも根深いので、一貫して成功しない理由が自分の考え方にあるとはなかなか気がつかない。しかし理解、意識的な認知、そして連想という自然な性向を回避する方法の習得が、一貫性を達成するのに大きなカギとなるのだ。恐怖や苦痛、あるいは過信による問題なしに、マーケットのもたらす機会の流れを認識する心理状態を育み、維持しなければならない。そのためには、連想のプロセスを意識的に制御する必要があるのだ。

第六章

マーケットの観点

Market's Perspective

往々にして、トレード機会における典型的なトレーダーのリスク認識は、直近二～三回のトレードの結果に影響を受ける（個人差はある）。一方、最上級のトレーダーは、前回（あるいは直近の数回）のトレードの結果がマイナスであろうがプラスであろうが、影響を受けない。どのトレード機会でも、個人的な心理変化に影響を受けてリスクを認識することはないのである。したがって両者の心理には大きなギャップがある。「最上級のトレーダーの心のなかはこうしたギャップを克服できる性質がもともと身に着いているのだ」と思い込んでいる人もいるかもしれない。しかし事実は違う。

過去一八年間、私は多くのトレーダーの相談に乗ってきたが、そのだれもが「今この瞬間の機会の流れ」のなかで適切な集中力を維持するため、自分の心を鍛える方法を習得しなければならなかった。これは普遍的な問題なのだ。そしてそれは私たちの思考回路、そして私たちに共通する社会的生い立ちと関係がある（つまりトレードの問題点は、特定の人間だけのものではないのだ）。自尊心と関連したほかの要素もまた、成功の維持を妨げている可能性があるが、まずはトレーダーとして成功するために最も重要で根本的な土台について論じてみたい。

「不確定性」理論

トレードの本質に秘密となるものがあるとすれば、以下の能力がそうだ。①恐怖心や過信なくトレードを執行する能力、②その観点から、マーケットが提供しているものを認知する能力、③「今この瞬間の機会の流れ」のなかで完璧な集中力を維持する能力、④自然に「ゾーン」へと達する能力——これらの能力が中核にあれば、自分に有利な優位性が予測できない結果を生むという信念は、ほとんど揺るぎようのない強固なものとなる。

最高のトレーダーは、わずかな疑いも心の葛藤もなく「何事も起こり得る」と信じ切るところまで成長している。何事も起こり得ることを「疑いすら」しない。つまり、けっしてその考えを信じたふりをしているわけではないのだ。不確定性に対する信念が非常に強力であるおかげで、自分の心が「今この瞬間」の状況から直近のトレード結果を連想するのを防いでいるのである。

この連想の阻止によって、彼らの心はマーケット動向への非現実的で硬直的な期待に惑わされずに済む（たいてい非現実的な期待といったものは、精神的かつ金銭的苦痛という結果をもたらす）。マーケットからいつか提供される可能性がある何かしらの機会において、優位に立つために習得している「心の準備」があるのだ。

「心の準備」とは一つの観点である。それにより、マーケットから提供されている情報に比べて、自分が認識している情報は制限されている、つまり自分の心は自動的に、その瞬間マーケットが表現しているすべての機会を認識しないようにできているのだと分かるのである（第五章の「男の子と犬」の例は、いかに真実に対する個人的解釈が自分に反映されるかという格好の例である）。

こうした見落としは、トレードで常に起こっている。例えば、間違いを恐れてトレードしている場合、自分の建玉と反対方向にマーケットがさらに動き続ける可能性を認識できない。なぜなら、間違いを認める恐怖が原因となって、自分の建玉を支持してくれる情報を過度に重視してしまうからである。たとえ「マーケットが自分の建玉とは逆方向にトレンドを形成している」という事実を明示する情報が十分にあったとしても、この見落としは起こり得る。私たちはトレードをするために値動きを区別する。しかし通常なら認知できる区別も、恐怖心を抱くと見えなくなりやすい。そのトレンド、そしてその方向にトレードする機会は、今のトレードをやめるまで見えないのだ。

そのうえ、認知するための区別方法を習得していないために見えていない売買機会がある。第五章で例示した、初めてチャートを見たときの話を思い出してほしい。まだ習得していないものは私たちには見えない。心を開いてエネルギーをやりとりするまで、見えていないままなのだ。

「心の準備」という観点から、既知のものと未知のものの両方を考慮できる。例えば、自分が築いている心の枠組み（知識）によって、値動きのなかから売買機会の出現を示す一定の可変要素を認識する。これが自分の優位性であり、既知のものである。しかし、自分の可変要素（優位性）が明確にしたパターンが将来どのように展開するかは、まさに未知のものである。

心の準備という観点からは、自分の優位性で勝算が高くなることが分かるだけでなく、ある特定のトレードの結果は分からないという事実を、完全に受け止められる。また心の自動的なプロセスに支配され、それが原因で自分がすでに知っていると思い込むことがなくなる。そして意識が広がり、次に起こりそうな展開が発見できるのだ。この観点が身に着けば、マーケットが可能にしている何かしらの機会を、マーケットの観点（マーケットの真実）から認識し、それを阻もうとする内的抵抗感から自分の心を解放できるのである。心を開いてエネルギーのやりとりができるのだ。その結果、マーケットについて自分が今まで知らなかったことを学べるだけではなく、「ゾーン」への最短距離となる心理状態を設定できるのである。

自分が「ゾーン」にいる状態とは、本質的に自分の心とマーケットが同調している状態を意味する。その結果、あたかも自分自身とその他のマーケット参加者の集合的意識の間に何の分け隔てもなくなったかのようになり、マーケットがまさに何をしようとしているか感じられるようになるのである。つまりゾーンは、ただ単に集団心理を読み取れる状態だけではなく、それ以上、つまりマーケットと完全に同調している状態の心の空間なのだ。

この説明を少し妙に感じるようであれば、どうして鳥や魚の群れが同時に方向を変えられるのかを考えてほしい。お互いをつなぐ方法があるはずだ。これと同じようなつながりが人にも可能であり、つながっている人からの情報が、自分の意識に染み込むときがある。このようにマーケットの集団的意識に同調した経験のあるトレーダーは、ちょうど群れの中央にいる鳥や魚が、ほかのすべてが方向を変えるまさにその瞬間に向きを変えられるように、値動きの変化を察知できるのである。

しかし、自分とマーケットとの間に、こうした魔法のような同時性を経験しやすくする精神状態を設定するのは、けっして生易しいものではない。そこには越えねばならない二つの心のハードルがある。一つは本章の主題である「今この瞬間の機会の流れ」のなかで精神集中を維持する方法の習得である。その観点で同時性を体験するためには、マーケットの真実に対して心を開いた状態にしなければならない。

もう一つのハードルは、左右の脳の分業で越える必要がある。左脳は私たちがすでに知っている事柄に基づいた理性的思考に特化している。一方、右脳は創造的思考に特化しており、理性のレベルで普通は説明できないインスピレーション、直感、感覚的理解を引き出す能力がある。本質的に創造的な情報を口で説明できないのは、理性のレベルでは分からないからである。当然、真の創造とは、過去に存在しなかったものを生み出すことである。したがってこれら二つの思考モードは、もともと矛盾する。創造的情報を受け止め、そして信頼するためには、特殊な段階を踏んで自分の心を鍛えなければならない。そうでなければ、たいてい理性的・論理的部分が勝つ。通常、鍛錬なしには、自分の勘、直感的衝動、インスピレーション、感覚的理解で行動するのは非常に難しいのだ。

通常、何かに適切に反応するには、信念と意図の明確さを必要とする。そのことで自分の心と感覚が目先の目標に集中できるからだ。しかし自分の行動の根源が本質的に想像的でありながら、この根源を信頼するように理性が適切に鍛えられていない場合、こうした情報に反応するプロセスのある時点で、理性的部分からの矛盾かつ競合した見解が、自分の意識のなかであふれかえってしまうだろう。もちろん、こうした理性的見解すべてが本質的に健全で道理に合っている。なぜなら理性のレベルで、すでに知っていることから生じているからだ。しかしこうした見解には、「ゾーン」やその他の創造的精神状態から、自分をはじき飛ばしてしまう影響力があるのだ。ところが人生のなかで、勘や直感や発想で明らかな可能性を認識しながら、理性レベルで自分とは関係ないと思い込んでその潜在的優位性をつかめないときほど、欲求不満のたまることはない。

この説明では抽象的すぎて、実践に移すことが非常に難しいと思う。そこで「今この瞬間の機会の流れ」での完全集中とはどういう意味か、順を追って説明しようと思う。本章と第七章を読み進むうちに、不確定性に対する断固としたゆるぎない信念を確立するまではトレーダーとして成功できない、という理由を一点の曇りもなく理解できるだろう。

自分の心とマーケットを同調させる過程の第一歩は、トレードの心理的現実を理解し完全に受け止めることから始まる。そして、その段階の出発点がトレードから連想される欲求不満、失望、困惑の理解だ。典型的なトレーダーはトレードをする決断をしても、トレーダーになる意味について考える時間をとったり、その考えを膨らませる努力をほとんどしない。トレーダーになることと優れたマーケット分析者になることが、同じ意味であると考えてしまっている。

前述のとおり、これは真実から非常にかけ離れている。優れたマーケット分析は、たしかに成功に寄与するし、名脇役を演じる可能性がある。しかし大半のトレーダーが誤ってとらえているほど、注目する価値も重視する価値もない。非常に目にとまりやすい値動きのパターンの根底には、幾つか非常に独特な心理的性格がある。こうした心理的性格の本質で、市場環境で効果的に行動するため、どのように「ありのまま」でいる必要があるのか決まるのである。

過去とは異なる性質・性格・特性の環境で効率的に行動するためには、通常の物事についての考え方に、幾つかの調整や変化を施す必要がある。例えば、ある目的や目標を達成するために外国旅行をするとしたら、まずその土地の伝統や習慣に精通しなければならない。それを踏まえて、その環境でうまく行動するために身に着けねばならないさまざまな方法を学ぶであろう。

多くのトレーダーが一貫した成功を収めるために身に着けねばならない事実を無視しているのには二つの理由がある。一つは、勝ちトレードをとらえるためにまったく技術を必要としない点である。そのため、大半のトレーダーは普通、一時的な勝利を得る能力よりも一貫性が重要なのだと認識するまでに、長い年月の間、苦痛や苦戦を体験しているのだ。

もう一つの理由は、トレードするためにいろいろなところへ旅をする必要がない点だ。必要なことはすべて電話をかければ済む。朝、ベッドから起き上がる必要さえないのだ。通常、オフィスでトレードするトレーダーでさえ、売買のときにオフィスにいる必要がない。個人的に快適な環境からマーケットにアクセスし、関係が持てるため、ついトレードでは自分の考え方に特に何も身に着けるものはないと思ってしまうのである。

すでにトレードの本質についての根本的な真実（心理的性格）の多くに、ある程度、気がついていると思う。しかし、ある原則・洞察・概念に気がつき、理解するだけでは必ずしも十分に容認し、信じているとはかぎらない。真に認めたものは、心の環境のなかにあるその他の要素と矛盾しない。何かを信じていれば、心のなかで悪あがきや余計な努力をすることなく、ありのままに自然にその信念を通せるはずだ。ところがある信念が心の環境にあるほかの要素と矛盾する場合がだれにでもあり、その程度に応じて容認できないのである。

このことから、大半の人々がトレーダーとして成功しにくい理由が分かる。すでに学んでいることと信じようとしていることとの間にある、多くの矛盾を解決するために必要な心的作業をしていないのだ。そして自分の学習した信念が矛盾を生み、いかにトレードに成功するために必要なさまざまな原則の実行を妨げる根源となっているか分かっていない。こうした矛盾を完璧に解消するためには、柔軟な精神状態を習得し、自分の優位性としなければならない。柔軟な精神状態こそ、トレードに理想的なものなのだ。

マーケットの最も根本的な性格（それはほぼ無限の組み合わせで表現できる）

マーケットでは何かが起こる可能性が常にある。これは、特に不規則に値動きが乱高下するマーケットを経験した人ならば、まったくそのとおりだと同意してもらえるだろう。問題は、この性格をだれもがあまりにも当然として考えてしまうため、最も根本的ミスを何度も繰り返す原因となってしまう点だ。事実、本当にトレーダーが「いつ何が起こってもおかしくはない」と信じていれば、敗者の数はかなり減るだろうし、一貫した勝者は増えているだろう。

「何事も起こり得る」とどうして分かるのだろうか。この立証は簡単だ。まずマーケットをその構成要素に分解し、その要素がどう機能しているか注目してみればよい。マーケットが何であれ、その最も根本的な構成要素とは、そこにいるトレーダーである。個々のトレーダーがフォースとして価格に作用し、買値を上げたり売値を下げたりして価格を動かしているわけだ。

なぜトレーダーは買値を上げたり売値を下げたりするのだろうか。この疑問を解くために、まず人がトレードする理由を、しっかりと理解しておかなければならない。ある市場でトレードする人の動機の裏には、多くの理由と目的がある。しかし、各人のトレードの根本的理由をすべて知る必要はない。なぜなら究極的に、一つの理由と一つの目的に要約されるからである。

つまり利殖のためだ。これは明らかだ。なぜならトレーダーにできるのは買いか売りのたった二つしかなく、そしてあらゆるトレードには利益か損失のたった二つの結果しかないからだ。したがって、個人的なトレードの理由にかかわらず、根本的にだれもが同じものを求めているとすぐに分かるだろう。つまり利益だ。そして利益を生む方法はたった二つしかない。安値を買って高値で売るか、高値を売って安値で買うかである。だれもが利殖を欲しているのだとすれば、なぜトレーダーはさらに高いレベルへ買値を上げようとするのか。それは将来のある時点で、買っているものをさらに高い値段で売れると信じているからである。これと同じことは、直近の価格よりも安い値段で進んで何かを売ろうとする（つまり売値を下げようとする）トレーダーにも当てはまる。そうするのは、将来のある時点で、売っているものをより安い値段で買い戻せると信じているからである。

市場動向を値動きから注目し、値動きをより高い値段で買おうとする（あるいはより安い値段で売ろうとする）トレーダーの働きとして注目すると、すべての値動き（市場動向）はトレーダーが将来について信じているものの働きであると言える。より正確に言えば、すべての値動きは、何が高く何が安いかについての個々のトレーダーの信念の働き（機能）なのである。

市場動向の根底にある力学は非常に単純だ。たった三つの大きなフォースが、どのマーケットにも存在している。それは価格が安いと信じているトレーダー、価格が高いと信じているトレーダー、マーケットを見ながら価格が安くなるか高くなるかの判断を待っているトレーダーである（理論的には、三つ目の集団は潜在的フォースの性質を持つ）。何かが高いとか安いとかいうトレーダーの信念を支える理由は、常に不適切である。というのも、トレード参加者の大半が、規律のない、組織化されていない、行き当たりばったりの、でたらめなやり方で行動するからである。したがって、何が起こっているか、より優れた理解を得るには、彼らの個人的理由は必ずしも参考にならないだろう。

しかし、もしすべての値動きや値動きの停滞が二つの大きなフォース（価格が上昇すると信じているトレーダーと価格が下落すると信じているトレーダー）の間での均衡や不均衡に関連した機能であると知っていれば、何が起こっているか理解するのは簡単である。二つの集団が均衡していれば、価格は停滞する。なぜなら一方がもう一方のフォースを吸収しているからである。また不均衡であれば、価格は比較的大きなフォース（つまり価格の動く方向により強い信念があるトレーダー）に有利な方向へと動くであろう。

では、ここで考えてもらいたい。あるときに起こったことが（取引所の意図的な値動きの制限がないとすれば）、実際にどのようにして終わるのだろうか。値動きを止めるのは唯一、あるトレーダーが信じている高値や安値である（もちろん、そのトレーダーが進んでその信念を押し通すのを望んでいる場合だが）。その集合体での値動きのレンジは、そのマーケットに参加している個人が考えている「何が高値で何が安値か」についての信念が最も強いところに制限される。私にはその意味が自明であると思える。つまり、どの瞬間のどの市場にも、さまざまな強い信念があり、それが何かしらの可能性を生んでいるのである。

この観点でマーケットに注目すると、将来に対する自分の信念の表現を望んでいるあらゆる潜在的トレーダーが、マーケットの可変要素になっていると簡単に理解できる。それはより個人的なレベルで言えば、自分のトレードのプラスの可能性を否定するのは、世界のどこかにいるほかの一人のトレーダーにかかっているにすぎないことを意味している。換言すれば、何が高値か何が安値かという自分の信念を否定するのは、たった一人のほかのトレーダーにかかっているのだ。ただそれだけのことだ！

この点を説明するために例を挙げよう。数年前、あるトレーダーが私に助けを求めてきた。彼は非常に優れたアナリストであり、事実、私が出会ったなかで最高の部類に入る。しかし長年、自己資金だけでなく、多くの顧客の資金をトレードで失っており、そうして積もった欲求不満から、結局、自分はトレーダーに向いていないと認めようとしていた。しばらく話をしてみると、彼の成功を阻害している数多くの深刻な心理的障害が判明した。最もやっかいな障害の一つが、知ったかぶりでかなり傲慢なところであった。この障害が、効果的なトレードに必要な、心の柔軟性の構築を不可能にしていたのである。しかし私のところに来たときは、資金と助けを非常に欲していたため、進んで何かを考えようという気持ちになっていた。

そこで私が提案したのは、「結局、またトレードで失敗してしまうと思うのなら、そのような試みを支援する新しい投資家を探すよりも、本当に得意なものを生かした仕事に就いたほうが良い生活ができるでしょう」というものであった。そのほうが、問題を抱えながら仕事を継続するよりは着実な収入が得られるだろうし、また同時に価値あるサービスをだれかに提供できる。早速、彼は私の助言を受け入れ、シカゴにあるかなり大手のブローカー・清算会社にテクニカル分析者の職を見つけた。

そのブローカー会社の理事である名誉会長は、ＣＢＯＴ（シカゴ・ボード・オブ・トレード）の穀物フロアで四〇年近い経験を持つベテラントレーダーであった。しかし彼にはテクニカル分析の知識がまったくなかった。フロアで稼ぐには必要なかったからだ。ところがフロアで取引ができなくなりオンライン画面で取引するようになると、それでは難しく、心もとないと考えた。そこでトレードの最中、新しく雇用した花形アナリストにそばについてもらって、テクニカル売買を教わることにしたのである。一方、そのアナリストにとっては、転職が自分の能力をその輝かしい経歴を持つトレーダーに披露するチャンスとなったわけだ。

そのアナリストは「ポイントアンドライン」というテクニカル手法を用いていた（ポイントアンドラインは数ある手法のなかでも、特にはっきりと支持・抵抗線を定義できる手法の一つだ)。ある日、二人は大豆市場を一緒に見ていた。マーケットはたまたま、そのアナリストが引いた主要な支持・抵抗線のレンジ内で取引されていた。彼が会長にこの二つのポイントの重要性を説明していたとき、ほとんど間違いがないといった調子で主張した。「マーケットが抵抗線に向かったら、そこで停止して反転します。またマーケットが支持線に向かったら、そこで停止して反発します。マーケットが私の計算した支持値水準まで下落したら、そこがその日の底値となるでしょう」

するとと大豆市場は徐々に下落トレンドを描き始め、そのアナリストが「そこが支持値で、その日の底値になるだろう」と主張した価格まで下げていった。そしてついにそこに達したとき、会長はアナリストのほうを向いて尋ねた。「ここでマーケットは動きを止め、上昇すると言うんだね?」。アナリストは自信を持って答えた。「間違いありません!　ここが今日の安値です」。すると突然、会長は「そんなのでたらめだ!　見ていろ」と言い放ち、受話器を取って大豆の立会場に注文を回送する従業員に電話をした。「成り行きで二〇〇万ブッシェル(四〇〇枚)の売りだ」。その注文から三〇秒後、大豆市場は一〇セント下落した。会長は青ざめた顔をしたアナリストのほうを向いて、そして穏やかに尋ねた。「マーケットが動きを止めるだろうと君が言ったところはどこかね?　私にできるなら、だれにだってできるさ」

つまり、市場参加者の私たち個人にしてみれば、マーケットでは何が起こってもおかしくはなく、それはたった一人のトレーダーの動向にかかっているのである。これがトレードの冷たく厳しい現実である。この点を最上級のトレーダーは、何の葛藤もなく冷静に受け止めている。どうしてそれが分かっていると言えるのか。なぜなら最上級者だけが、トレードを仕掛ける前に、一貫してリスクを定義しているからである。だからこそ、トレードが機能していないとマーケットが教えているとき、疑念や躊躇なく損切りできるのだ。そして、自分に有利な方向にマーケットが向かっているとき、組織化されシステム化された資金管理法で利食いできるのである。

リスクを前もって定義しない、損切りをしない、システム的に利食いをしない、これらが最も一般的で、そして常に最も高くつく、犯しやすい三つの過ちである。最上級者だけが、こうした過ちをトレードから排除している。彼らはある時点で、何が起こってもおかしくはないということを一点の曇りもなく信じられるようになる。そして予期せぬ未知の事態を「常に」考慮しているのだ。

忘れないでほしい。価格を動かす原因となるのは、たった二つのフォース、マーケットが上昇すると信じているトレーダーとマーケットが下落すると信じているトレーダーである。いつでも、その前の瞬間のマーケットと関連して今この瞬間のマーケットを観察すると、より強い確信を持った人たちが分かる。もし認識できるパターンが出現すると、そのパターンは繰り返す可能性があり、マーケットが向かう方向の兆候となる。これが私たちの優位性であり、知っているものである。

しかし私たちが知らないものもまた、たくさんある。そしてそれは人の心が読み取れないかぎり、けっして分からないだろう。例えば、どれだけ多くのトレーダーがマーケットを観察していて、参入のときを待ち構えているか分かるだろうか。あるいは、どうして多くの人が買いたがっているか（またはどうして多くの人が売りたがっているか）、そしていくらで買い（売り）を望んでいるか、分かるだろうか。どうして参加者が直近の価格を見てすでに考えを変えたと分かるのだろうか。彼らのうちのどれくらい多くが、そのときまさに心変わりして仕切ろうとしているか分かるだろうか。もしそうだとしたら、どれぐらいの期間、マーケットから離れているつもりなのか分かるだろうか。そしてもしマーケットに戻ってきたときは、どちらの方向に票を投じるか分かるだろうか。

これらは不断で尽きることのない未知の隠れた可変要素であり、そして常にあらゆるマーケットに存在している。「常に」だ！　最上級者は、こうした未知の可変要素が存在しないふりをしてごまかそうとはしない。あるいはマーケット分析で理知的または合理的に説明しようとはしない。そのまったく逆で、こうした未知の可変要素を考慮し、自分の売買法のあらゆる構成要素に織り込んでいるのだ。

一方、典型的なトレーダーに当てはまるのは、まったく逆だ。つまり「自分が見たり聞いたり感じたりできないものは存在してはならない」という観点でトレードをしている。ほかにその行動を説明できるだろうか。もし価格に作用する可能性のある隠れた可変要素が常に存在すると本当に信じているのであれば、すべてのトレードが予測できない結果を生むと信じていなければならないはずだ。そして本当にすべてのトレードが予測できない結果を生むと信じているのであれば、どうして前もってリスクを明確にせず、損切りをせず、システム化された利食い方法を持たずにいる自分を正当化し、納得できるのだろうか。トレード環境でこれら三つの根本的原則を順守しないのは、金銭的・精神的な自殺行為を犯そうとしているのと同じである。

大半のトレーダーがこの三原則を順守しないのは「彼らの真の根本的なトレード動機が自分を破滅させるためだから」と言えるかもしれない。たしかにそう言える。しかし私は、意識的・無意識的に何らかの方法で自分の資金をなくそうとか、自分を傷つけようとするトレーダーの割合は、かなり小さいと思う。では、金銭的自殺行為が圧倒的な理由でないとしたら、どうして完全完璧な理解とは逆のことをし続けてしまうのだろうか。答えはきわめて簡単だ。典型的なトレーダーが自分のリスクを前もって定義せず、損切りもせず、システム的に利食いしないのは、それらが必要だと信じていないからである。それが必要でないと信じてしまう唯一の理由は、自分が認識している「今この瞬間」起こっていることに基づいて、次に何が起こるかすでに知っているると信じているからである。すでに知っているのであれば、これらの原則を順守する理由はまったくない。しかし「自分は知っている」という考え方は、それが原因でほぼすべてのトレードでミスを犯してしまう危険性がある（自分にお金を得る価値がないと信じた結果によるミスは例外である）。

何が真実で本物かという信念は、非常に強力な心のフォースである。信念は、私たちの認識、解釈、判断、行動、期待からその結果についての感情まで、マーケットとどのように影響し合うかというあらゆる面をコントロールする。そのため自分が真実であると信じるものと矛盾するような行動をとるのは非常に難しい。信念の強さにもよるが、完全な状態の信念を打破するのは、ほとんど不可能であろう。

典型的なトレーダーは気がついていないが、私たちは強力な信念の形を持つ心のメカニズムを必要としている。そのメカニズムがあれば、常にマーケットの認識はどんどん明快さが増すし、また常に値動きの心理状態と本質に反応して最適な行動がとれるからだ。最も効率的で機能的なトレードの信念を、私たちは習得できる。それは「何事も起こり得る」という信念である。それが真実であるという事実はともかく、成功に必要なあらゆるほかの信念や姿勢を確立するための強固な基盤として機能するだろう。

その信念がなければ、自分の心は自動的に、そして通常は意識的に気づくことなく「自分に受け入れ難い展開をマーケットがするかもしれない」と伝える情報を回避・防止するか、あるいは合理的な説明をするようになるだろう。もし何事も起こり得ると信じるならば、自分の心が避けるものは何もない。「何事も」とはすべてのものを含んでいる。したがって、この信念はマーケットの認識に膨張力のあるフォースとして作用し、そうでなければ自分には見えていなかったような情報の認識を可能にする。つまりマーケットの観点から、すでに存在している可能性をさらに多く認識できるようになるため、心の準備をしている（自分の心を開いている）のである。

より重要なのは、「何事も起こり得る」という信念を確立することによって、自分の心を確率で考えられるように鍛錬できる点である。これは最も不可欠なものである。そしてまた、人々が理解し、自分の心のシステムに効果的に取り入れることが最も難しい原則である。

第七章

トレーダーの優位性――確率で考える

Trader's Edge : Thinking In Probabilities

確率で考えるとは、正確にはどういう意味なのだろうか。またそれがトレーダーとして一貫した成功を収めるために、なぜ不可欠なのだろうか。本章ではこの点について解説する。最終的には「一貫性は確率が機能して達成されるのだ」と分かってもらえるだろう。予測できない結果を生む確率的事象から一貫した結果が生じると言うと、一瞬、矛盾しているように感じるかもしれない。そこでこの疑問を解説するため、まずはギャンブル業界に注目してほしい。

ギャンブル業界では、数十億ドルとは言わないまでも、数億ドルの大金をはたいて手の込んだホテルを建て、カジノに人々を引き込もうとする（ラスベガスに行けば、私の言っている意味がはっきり分かるはずだ）。カジノ業者はほかの業界とまったく同様、企業として役員会、そして最終的には株主に対して、どのような経営をしているか説明しなければならない。つまり、どうして手の込んだホテルやカジノに多額の資金を費やせるのかを説明しなければならないのだ。ではホテルやカジノの主な機能とは何か。それは純然たるランダムな結果を生む事象から、一貫した収益を生み出すことなのである。

逆説——ランダムな結果と一貫した結果

ここに興味深い逆説がある。純然たるランダムな結果となる事象を大規模に運営しているのに、カジノ業者は毎日毎年、一貫して収益を残しているのである。一方、大半のトレーダーは値動きがランダムではないと信じているのに、一貫した収益を残せないでいる。一貫した（非ランダムな）結果は、最終的に一貫した成績を残すはずだ。そうだとすればランダムな結果は、最終的に一貫しない（ランダムな）成績を残すはずではないか。しかし現実は違う。

典型的なトレーダーには理解し難いことだが、カジノのオーナー、経験豊富なギャンブラー、そして最高のトレーダーは「自分に勝算があり、それを裏打ちするイベントの標本が十分にある場合、確率的結果を生む事象は一貫した結果を残す」ことをよく理解している。最高のトレーダーは、プロのギャンブラーやカジノ業者のギャンブルに対する考え方と同じように、トレードを確率のゲームとしてとらえているのである。

もう少し詳しく解説するため、ブラックジャックを例に取ろう。ブラックジャックでは、カジノ側がプレーヤーに対して、約四・五％の優位性を持っている。この優位性の根拠は、プレーヤーが順守しなければならないルールにある。つまり、十分な大きさの標本があれば（ゲームを多数繰り返せば）、カジノ側がゲームに賭けられたドルのうち四・五％を純益として残せるわけだ。この平均四・五％には、（連勝を含む）大勝ちをして帰る人、大負けして帰る人、その間のだれしもがすべて計算されている。それでも、その日、その週、その月の終わりには結局、カジノ業者は賭けられたお金の総額の約四・五％を利益として出しているのだ。四・五％というと、大した額に聞こえないかもしれないが、考えてみてほしい。一年間、カジノにあるブラックジャック台で、総額一億ドルが賭けられたとしたら、そのカジノ業者は四五〇万ドルの純利を上げているのである。

カジノ業者とプロのギャンブラーは、確率の本質をよく理解している。つまり、一つ一つのプレーが統計的にほかのものから独立しているという性質である。個々のプレーが一個の事象であり、その結果は前回のプレーや次回のプレーとはランダムな関係にあるのだ。個々のプレーに注目すれば、勝ち負けの分布はランダムで予測不可能である。しかしそのプレー回数が一定数に達すれば、そこから現れるパターンは一貫し、予測可能な統計的に信頼できる結果となって現れるのである。

この点が確率的考え方を非常に難しくしているのだが、表面がもう一方と対立する二層式のような信念を持ってほしい。最初の層はミクロレベルでの信念である。このレベルでは、個々のプレーの結果の不確実性を信じなければならない。この不確実性が真実であるのは分かってもらえると思う。なぜなら常に、多くの未知の可変要素が個々の新しいプレーに一貫して影響しているからである。例えば、ほかの参加者が自分の手をどう判断しているかなどは前もって分からない。それにだれもがカードを追加するか否かを自分で決められる。つまり一回のプレーの収支に影響する可変要素は前もって分からないし、コントロールできないのである。そのため、どの一回のプレーの結果も、ほかのプレーとの関連が予測できないランダムなもの（統計的に独立したもの）となるのだ。

もう一つの層は、マクロレベルでの信念である。このレベルでは、プレーの一連の結果は比較的確実で予想できるものであると信じなければならない。確実性の度合いは、固定された恒常的可変要素に基づく。それらは特にどちらか一方に優位性をもたらすように設計されているもので、前もって知っている。ギャンブルの「常にある可変要素」とは、ゲームのルールである。たとえ一回のプレーの勝ち負けの順序が前もって分からなくても（超能力者でないかぎりそれは無理だろう）、十分な数のプレーをこなせば、だれであれ優位性を持った人の成績は負けよりも勝ちが増えてくるのが、次第にはっきりしてくるのである。その確実性の度合いは、優位性がどれほど優れているかに比例する。

ミクロレベルでゲームの不確実性を信じ、同時にマクロレベルでゲームの予見性を信じる。カジノ業者とプロのギャンブラーは、この能力を有効的に用いて、自分の行為を成功させているのだ。また各プレーの唯一性に対する信念は、各プレーの結果を予測しようという無駄な努力を防いでくれる。次に何が起こるか分からないという事実を理解し、完全に受け止められるからだ。ここが重要だ。一貫した収益を残すために、次に何が起こるか知る必要はないのである。

次に何が起こるか知る必要がないのなら、個々のプレーやルーレットやサイコロに、特別な意義や感情などを移入する必要がない。したがって、非現実的な期待に苦しまなくて済むし、自分が正解でなければならないというエゴに影響されないで済む。そして、常に楽な気持ちで、自分の勝算の維持と完璧なトレードの執行に集中できるのだ。それが一方で、ミスを犯して高い代償を払う可能性をかぎりなく小さくさせる。非常にリラックスした状態だ。なぜなら確率（自分の優位性）の利用に専念し、またそれを望んでいるからだ。そして自分の優位性が十分にあり、標本の大きさが十分であれば、最終的には勝利すると常に分かっているからである。

最高のトレーダーは、カジノ業者やプロのギャンブラーと同じ思考戦略を取っている。自分に有利に働く仕組みが一緒だというだけでなく、そうした戦略の必要性を支える根本的力学が、ギャンブルとトレードではまったく一緒なのだ。それは両者を比較するだけで、はっきり分かるだろう。

トレーダー、ギャンブラー、カジノ業者は皆、一回のトレード（あるいはギャンブル）の結果に影響する既知と未知の両方の可変要素を扱っている。まず、既知の可変要素を比較してみよう。ギャンブルの既知の可変要素とは、ゲームのルールである。そしてトレードの既知の可変要素とは、（トレーダー個人の観点から）マーケットを分析した結果である。

私たちはマーケット分析で、市場参加者の集団的行動パターンを探している。個人は似通った状況と環境で同じように行動するため、何度も繰り返す明確な行動パターンを形成する。それと同じ理由で、互いに影響しあっている個人の集団もまた、毎日、毎週、何度なく繰り返す行動パターンを生んでいるのである。

こうした集団的行動パターンを発見し、判断するために利用できる分析ツールには、トレンドライン、移動平均、オシレーター、押し／戻りなど、枚挙にいとまがない。また各分析ツールには、確認された各行動パターンを明確に線引きする一定の基準がある。この一定の判断基準（境目）が、トレーダーが知っているマーケットの可変要素となる。それらは個々のトレーダーにとって、カジノ業者やギャンブラー同様、ゲームのルールとなる。つまりトレーダーの分析ツールは、ゲームのルールがカジノ業者に勝算をもたらしているのと同様、トレードに勝算（優位性）をもたらす既知の可変要素なのだ。

次に未知の可変要素を比較してみよう。ギャンブルでは多くの未知の可変要素が各ゲームの結果に作用すると分かっている。ブラックジャックでは、カードをどのように切るか、あるいはプレーヤーが自分の手をどのように選択するか分からない。クラップゲームでは、どのようにサイコロが転がるか分からない。これら未知の可変要素は、フォースとして個々の事象の結果に作用する。そのため、各事象はほかの個々の事象から統計的に独立し、勝ち負けがランダムに分布するのである。

トレードもまた同じで、トレーダーが優位性として利用できると判断した行動パターンには多くの未知の可変要素が含まれており、それらが個々の結果に影響する。このトレードの未知の可変要素とは、ほかのすべてのトレーダーたちである。彼らはトレードを仕掛けようと（あるいは仕切ろうと）して、マーケットに参加する可能性がある。各トレードは、そのときそのときのマーケットの位置を導いている。つまり、何が高値かあるいは何が安値かという信念を持って行動している各トレーダーが、そのときにみられる集団的行動パターンを導いているのである。

認識されるパターンがあり、そしてそのパターンを明確にする可変要素が、まさにある特定のトレーダーの優位性を明確にするものであれば、マーケットはそのトレーダーに対して、彼が明確にしたものに基づいて安値で買う（あるいは高値で売る）機会を提供していると言える。それでは、そのトレーダーが自分の優位性を発揮する機会をとらえてトレードを仕掛けた場合、マーケットが自分の思惑どおりに展開するか、あるいは不利に展開するかを決める要素はいったい何か。そう、答えは「ほかのトレーダーたちの行動」だ！

トレードを仕掛けたとき、そしてそのトレードにとどまっている間、ほかのトレーダーたちもそのマーケットに参加している。何が安値で何が高値かについて各自信念を持って行動している。ある割合のトレーダーが自分の優位性に有利な結果をもたらすときもあれば、逆にある割合のトレーダーの参加が自分の優位性を打ち消すときもあるだろう。いずれにせよ、他人がどのように行動し、その行動が自分のトレードにどう影響するかなど、前もって知る方法などない。すなわち、一回のトレードの結果は不確実なのだ。これが事実だ。だれかが判断を下したあらゆる（正当な）トレードの結果は、そのマーケットに参加しているほかのトレーダーたちのその後の行動によって、何かしらの影響を受けているのである。

すべてのトレードが予測できない結果を生む。したがって、たとえトレーダーが同じ既知の一定の可変要素を、各トレードの優位性を判断するために用いているとしても、ギャンブルの場合と同様、個々のトレードが前回のトレード、次のトレード、将来のいかなるトレードから統計的に独立していなければならない。そして個々のトレードの結果があらゆるほかのトレードから統計的に独立しているのであれば、数回トレードを重ねたとき、たとえ個々のトレードの勝算がトレーダーに有利なものであっても、勝ち負けはランダムに分布しているはずなのだ。

三つ目の比較は、個々の事象の結果について前もって予想しようとも知ろうとも思わない点である。それが現実的に非常に難しいだけではない。一貫した結果を残すために、各ゲームの未知の可変要素など、まったく必要がないのだ。カジノ業者は自分のすべき仕事は自分の勝算の維持であると理解している。そして自分の優位性を十分に発揮できるように、十分な量の事象の標本を必要としているのである（つまりカジノでのゲーム回数が多ければ多いほど一貫した成績が残せるのだ）。

その瞬間のトレード

確率的思考法を習得しているトレーダーは、同じ観点でマーケットに対処している。つまりミクロレベルでは、各トレードや優位性は唯一のものであると信じている。そのトレードの本質に対する理解は、以下のようなものである。「あるときマーケットは、過去にあったパターンとまさに同じような罫線を描いているように見える。そして優位性を判断するために用いている幾何学的計測と数学的計算は、そのときの優位性と今回の優位性がまったく同じになる可能性がある。しかし、そのときのマーケットと今回のマーケットの展開は、けっして同じではない」

なぜなら、今この瞬間に確認された特別なパターンが前回とまったく同じものになるためには、前回参加していたあらゆるトレーダーたちが今回もいなければならないからだ。しかも、どのようなパターンにせよ、まったく同じ結果となるためには、そのトレーダーたちが前回とまったく同じように互いに影響し合っていなければならない。しかしそのような展開が起こる可能性はない。

この点をよく理解してもらいたい。非常に重要だ。なぜなら一回のトレードへの思い入れが一層弱まるからだ。マーケット動向を分析するために、いろいろなツールを利用する。そして最高の優位性をもたらすパターンを発見する。すると分析的観点から、これらのパターンが常に数値的にも視覚的にもあらゆる面でまったく同じものであるかのように思える。しかし、現在のパターンを形成しているトレーダー集団の一貫性は、過去にパターンを形成した集団のたった一人が異なる行動を取れば、過去のパターンとは違った現在のパターンの結果になる可能性があるのだ（アナリストと会長の話は、その好例である）。つまり、世界のどこかにいるたった一人のあるトレーダーが、将来について異なる信念を抱くと、その独特のパターンの結果は変化し、そのパターンの示していた優位性が否定される可能性があるわけだ。

　これがマーケット動向の最も根本的な特徴だ。「今この瞬間」のマーケットの状況、「今この瞬間」の行動パターン、「今この瞬間」の優位性はそれぞれ、常に唯一の結果を生じ、ほかのすべてから独立しているのである。唯一性には「何事も起こり得る」という意味がある。知っていること（期待や予想）もあれば、知らないこと（非凡な知覚能力でもないかぎり分からないもの）もある。既知と未知の両方の可変要素の一貫した流れは、次に何が起こるか確実には分からない確率的環境を形成しているのである。

　この説明はあまりにも論理的で、自明とさえ感じるかもしれない。しかしここに論理や自明を超えた大きな問題がある。不確実性を認識し、確率の性質を理解したからといって、確率的観点から実際に効果的にトレードする能力があるとはけっして言えないからだ。確率的思考法は習得が難しいのだ。それは私たちの心が自然にはこのように情報を処理しないからである。事実はこの論理とまったく逆で、私たちの心は自分の知っていることに基づいて認識してしまう。そして私たちの知っていることとは過去の一部である。ところがマーケットは、たとえ過去に起こったものと似ていようが、あらゆる瞬間が唯一の新しいものなのだ。

　つまり、各瞬間の唯一性が認識できるように自分の心を鍛練しないかぎり、その唯一性を除外して認識してしまう恐れがある。そして自分が知っていることだけを認識し、恐怖で阻止された情報を割り引いてしまう。それではほかのすべてが見えていないままだ。要するに、確率的思考法にはある程度の知的素養が必要なのだ。思考戦略として心のシステムに取り入れ機能させるために、かなりの努力が必要なのだ。多くのトレーダーはこのことを十分に理解していない。しかしその概念を中途半端に理解しているため、自分は確率で考えていると誤って確信してしまうのである。

私がこう言うのも、自分は確率で考えていると思い込んでいながら実際はそうでないトレーダーを、何百人と見てきたからだ。実際に相談に乗ったトレーダーの例を一つ出そう。そのトレーダーの名前をボブとする。ボブはＣＴＡ（投資顧問）で、約五〇〇〇万ドルの投資資金を運用する、三〇年近い経験を持つベテラントレーダーだ。彼が私の講習会に訪れた理由は、自分の運用している資金に年一二～一八％程度のリターンしか残せなかったからであった。これは一般的にはまずまずの運用成績であるが、ボブにはかなり不満だった。なぜなら彼の分析によれば、年間成績が一五〇～二〇〇％に達するはずだったからだ。

ボブは確率の性質をよく分かっていたと言える。つまり概念は理解していた。しかし実際に確率的認識では動けなかったのだ。講習会に参加してからまもなく、彼は「アドバイスをお願いします」と私のところに電話をしてきた。そのとき話し合った直後に記したのが、以下の文章である。

九五年九月二八日

ボブから相談の電話。彼はポークベリー市場で建玉すると同時に、そのマーケットに損切りのための逆指値注文を置いた。マーケットは、その逆指値まで数ポイントのところまで逆行した状態が続いたが、やがて約定値のところまで回復した。そして彼はトレードを手仕舞う決心をした。ところが仕切ったとたん、ベリー市場は自分の思惑どおりの方向に五〇〇ポイント進展したのである。しかし、もちろん彼はマーケットから離れていた。彼には何がなんだか分からないと言う。

私はまず、「何がリスクだったのですか？」と尋ねた。彼にはその質問の意味が分からなかった。逆指値を置いたのでリスクを受け入れたと確信していたからだ。しかし私は「逆指値を置いたからといって、そのトレードのリスクを本当に受け入れたとは言えませんよ」と主張した。リスクにさらしているのは、損失、負け、不正解など、トレードの根本的動機によってさまざまである。私は「自分の信念は常に自分の行動で明らかになるのです」と指摘した。「規律あるトレーダーはリスクを明確にして逆指値を置かなければならない」という信念で彼が行動しているのは間違いない。そして実際にそうした。ところが人は、逆指値を置いたときでさえ、自分が損切りするはめになるとか、マーケットが自分の不利に動くとさえ信じずにいられるのである。

話し振りからして、これがまさに彼の状況に当てはまると感じた。彼は自分がトレードを仕掛けたとき、損切りするはめになると信じていなかったどころか、マーケットが自分に不利な方向に動く事態さえ信じていなかったのだ。事実、彼はその信念に凝り固まっていた。そのためマーケットが建玉位置にまで回復したとき、一ティックでも自分に逆らったマーケットに「目にものみせてくれる」という姿勢で、マーケットを罰するためにトレードを手仕舞ったのである。

そう指摘すると、彼はまさにそれこそ自分がトレードを手仕舞ったときに取った態度であったと同意して、こう語った。「そのトレードを数週間我慢し続けていて、マーケットがやっと建玉位置に達したとき、すぐに反転するだろうと思いました」。私はこの経験の反省が、学ぶべきことの方向性を示す簡単な方法であると答えた。確率的思考法に不可欠なもの、それはリスクの甘受である。そうしなければ、自分が受け入れていない可能性が本当に現れたとき、どうしたらよいか分からなくなるのだ。

確率で考えられるように自分の心を鍛えれば、あらゆる可能性を（何の内的抵抗も矛盾もなく）十分に甘受できるようになる。そして常に未知のフォースを考慮できる。このような思考法を可能にするためには、心の鍛錬が必須である。そうすれば、次に起こりそうな事態を知っておく必要性や、各トレードで正解である必要性を「気にしない」で済むのだ。事実、自分が知っていると思う度合い、あるいは次に何が起ころうとしているか知っておく必要があると確信する度合いが強いほど、トレードに失敗する可能性が高まるのである。

確率的思考法を習得しているトレーダーは、最終的な成功に自信を持っている。なぜなら、自分の優位性と明確に一致したあらゆるトレードに、自分をゆだねているからである。自分がそこで機能すると考え、思い、確信する優位性を、恣意的に選ぼうとはしない。あるいは自分が機能しそうにないと考え、思い、確信する優位性を避けようともしない。もしこうした行為を犯してしまえば、「今この瞬間が常に唯一のものであり、どのような優位性であれ勝ち負けはランダムに分布する」という信念と葛藤が生じるだろう。うまくいきそうな優位性やうまくいきそうにない優位性など、前もって分からない。このことを多くのトレーダーは、通常、かなりの苦しみをくぐり抜けてようやく理解に至る。結果を予測しようとしてはいけない。どのような優位性を用いるにせよ、あらゆる優位性にかければかけるほどトレードの標本が大きくなり、つまりは有利に機能する機会が広がる。それはまさにカジノと同じである。

一方で、大成できないトレーダーは、マーケット分析にとりつかれている。彼らが切望するのは、分析がもたらしてくれそうにみえる確信である。ほとんどの人がそれを認めようとはしないだろうが、実際のところ典型的なトレーダーは、あらゆるトレードで正解でありたいと思っている。必死になって存在もしない確実性を手に入れようとしている。皮肉なことに、「確実なものなど何もない」という事実を完璧に受け入れて初めて、自分が切望している確実性を手に入れられるのである。つまり「確実なものなどない」という、はっきりとした確信だ。

各優位性の不確実性と各瞬間の唯一性を完璧に受け入れられるようになったとき、トレードへの欲求不満は消える。一貫性を損ね、自信をなくすような典型的な過ちは、もはや犯さなくなっているだろう。例えば、トレードを仕掛ける前にリスクを明確にせず、この不適当な観点からトレードに終始してしまうのは、典型的なトレーダーによく見られる過ちである。トレードを仕掛ける前に、何事も起こり得るという事実の観点から五感を駆使して、自分の優位性が機能していないと教えてくれそうなマーケットの状態を決めておかなければならないのに、そのことが完璧に理解できないでいる。どうしてそうする決心がつかないのだろうか。どうして繰り返せないのだろうか。

その答えは、すでに前の章で出しているが、もっと詳しく説明しよう。その論理は巧妙だが、答えは簡単だ。典型的なトレーダーは、トレードを仕掛けるときのリスクを前もって明確にしていない。なぜなら、その必要がないと信じているからだ。「必要がない」と信じられるのは、次に何が起こるか知っていると確信しているからである。次に何が起こるか知っていると確信できるのは、自分が勝つと確信するまでトレードを仕掛けようとしないからである。したがって、自分がトレードに勝つと確信するのであれば、もはやリスクを明確にする必要がないわけだ（なぜなら自分が正しければ、リスクはないからである）。

典型的なトレーダーは、トレードを仕掛ける前に自分が正しいという確信を持ってから実行する。その理由は簡単で、ほかの選択肢（間違い）は受け入れ難いからである。なぜ受け入れ難いかは、私たちの連想の思考回路を思い出してほしい。結果的に、あるトレードでの間違いから、自分の人生でのほかの特定の（あるいはすべての）間違えた経験を連想してしまう可能性があるわけだ。つまり、あらゆるトレードから、日常生活で間違えるたびに蓄積してきた苦痛を、容易に引き出してしまう可能性がある。間違いという意味に込められている解消されていないマイナスのエネルギーは、ほとんどの人に大量に蓄積されている。したがって、どうして典型的なトレーダーが、個々のトレードに、そしてあらゆるトレードに、文字どおり生か死かの深刻な意味合いを込めようとするのか、容易に理解できるのである。

その結果、マーケットから五感を通じて伝わる情報から「自分のトレードは機能していない」と判断しなければならなくなると、相いれないジレンマが生まれる。一方では、何とかして勝ちたいと願っている。それができる唯一の方法はトレードへの参加であり、参加できるのは自分がトレードに勝つだろうと確信できるときだけである。

しかしもう一方では、リスクを明確にするため、すでに自分が確信しているものを打ち消すような証拠を、わざと集めようとする。そのためトレードが機能するだろうと確信する意思決定プロセスと葛藤が生じるのだ。矛盾した情報に直面した場合、トレードの可能性について間違いなくある程度の疑念が生じる。疑念を感じるくらいなら、参加しようとはしない。ところがトレードを仕掛けず、それが思惑どおりに展開してしまうと、今度は激しい苦痛を感じてしまう。認識した機会を自信喪失から逃してしまうことほど苦しいものはないはずだ。典型的なトレーダーにとって、この心理的ジレンマを抜け出す唯一の方法は、リスクを無視し、トレードが正しいという確信を維持することである。

この話に親近感が湧くようであれば、以下のことを考えてほしい。自分が正しいという自信があるとは、このように自分に言い聞かせているようなものなのだ。「私はこのマーケットにだれがいるか、そしてこのマーケットにだれが入ってきそうかを知っている。彼らが信じている高値・安値を知っているし、こうした信念で行動する各個人の能力（明快さの度合いや内的葛藤の比較的な欠如）を知っている。そしてこの知識で、こうした各個人のそれぞれの行動が、その集合体のなかで、一秒後、一分後、一時間後、一日後、一週間後にどのように価格に影響をもたらすか判断できる」。この観点から自分が正しいと確信するプロセスを見てみると、少し不合理に感じないだろうか。

確率的思考法を習得したトレーダーには、こうしたジレンマはない。リスクを前もって明確にして困る問題もない。なぜなら、正しいとか間違ったという観点でトレードをしないからである。個々のトレードで正しいとか間違っているとかは、トレーダーとしての成功と関係がないと悟っているのだ。その結果、典型的なトレーダーと同じようなやり方で、リスクを認識しなくなる。

最高のトレーダー（確率で考える人）のなかには、典型的トレーダーと同じように、間違いに対してかなりのマイナスのエネルギーを持つ人がいる。しかし確率のゲームという道理に適った定義をしているかぎりは、個々のトレードの結果に対する感情的な反応は、大半の人がコイン投げをして、表と予想したのに裏が出たときに感じるときと同じ程度である。コイン投げの予想で間違ったからといって、日常生活でいつも自分が間違えるたびに蓄積される苦痛を引き出すことは「ないだろう」。

それはなぜか。コイン投げの結果がランダムであると知っているからだ。もし結果がランダムであると信じているのであれば、ランダムな結果を予想して当然である。ランダムは少なくともある程度の不確実性を意味のなかに含んでいる。したがってランダムな結果を信じるとき、結果がどうなるか分からないという暗黙の了解があるのだ。前もって、どうなるか分からない事象として受け入れたとき、その受け入れが私たちの期待を常に中立で柔軟にする力となるのである。

今、私たちは典型的なトレーダーを悩ませる問題の、まさに核心に触れようとしている。マーケット動向への期待が具体的かつ明確かつ硬直的で、中立的で柔軟なものでなければ、それは非現実的なものであり、ダメージをもたらす危険性がある。非現実的とはつまり、確率の可能性をマーケットの観点から考えていないという意味である。マーケットのどの瞬間も唯一のものであり、どんな可能性もある。こうした境目のない性格を考慮しない期待は何であれ、非現実的である。

期待を管理する

非現実的な期待は、情報の認知に悪影響を及ぼし、ダメージとなる可能性がある。期待とは、ある将来にどのように見えるか、聞こえるか、におうか、感じるかという心の表現であり、私たちの知っていることから生まれる。これは分かる。なぜなら、知識にないものや認知していないものに期待はできないからだ。では、知っていることとは何か。それは「外部環境がそれ自体を間違いなくこう表現する」と学んでいることである。ただしこの間違いないという確信は、その人独自の真実の解釈である。つまり何かを期待しているとは、自分が真実であると信じ込んでいることを将来に投影している（見込んでいる）のである。一分後、一時間後、一日後、一週間後、一カ月後に、自分が心に描いたとおりとなるように、外部環境に期待しているのだ。

しかし、この将来への投影には慎重にならなければならない。なぜなら期待外れほど残念なもの、精神的苦痛を生み出す可能性があるものはないからだ。ちょうど期待どおりのことが起こったとき、どのように感じるだろうか。その反応は通常、幸福・歓喜・満足・歓迎といった感情を伴う、素晴らしいものだろう（もちろん何か嫌な予感が的中した場合は除くが）。逆を言えば、期待が外れたときにはどのように感じるだろうか。一般的な反応は精神的苦痛だ。ちょうど自分の期待したとおりの状況にならなかったとき、ある程度の怒り・憤り・後悔・失望・不満・裏切りをだれもが経験しているはずだ（もちろん、予想外に素晴らしいことがあって驚いているときは除く）。

ここが問題だ。私たちの期待は知っていることから生じる。つまり何かを知っていると決め込んだり信じ込んだりしたとき、自然に正しいことを期待しているのだ。その時点で、もはや中立で公平な状態ではいられなくなる。その理由の説明は難しくない。例えば、マーケットが自分の期待する展開になったからといって上機嫌でいれば、あるいは外れたからといって不機嫌でいれば、それは間違いなく中立でも公平でもない。むしろまったく逆で、期待の裏にあるフォースが原因となって、自分の期待を支持する（自然と上機嫌となる）ようにマーケット情報を認知するようになる。一方で苦痛回避のメカニズムが、自分の期待に反する（不機嫌な状態にしてしまう）情報を妨害してしまうのである。

すでに検証したように、私たちの心は身体的かつ精神的痛みを避けられるように設計されている。こうした苦痛回避のメカニズムが、意識的・無意識的に存在している。例えば、ある物体が自分の頭をめがけて飛んできたら、本能的にそれをよけようと反応する。よけるには意識的な意思決定プロセスを必要としない。しかしはっきりとその物体を見て、選択肢を考慮する時間があれば、物体を捕まえたり、手で払いのけたり、よけたりする判断が意識的にできるかもしれない。このように、意識的・無意識的に身体的苦痛から自分を守ろうとするメカニズムがある。

精神的苦痛から自分を守る機能も同じだ。ただしこの場合、「情報」から自分を守るのである。例えば、マーケットが「一方向に動きだしそうだ」という情報を表現しているとする。もし自分の望みや期待と、マーケットが提供している情報や可能性との間に差異が生じれば、苦痛回避のメカニズムがその差異を修正しようとするのである。身体的苦痛と同様、こうしたメカニズムは意識的にも無意識的にも両方のレベルで機能する。

意識レベルでは、苦痛の情報から自分を守るために、合理的に説明したり、正当化したり、言い訳を作ったり、矛盾する情報の意義を解消しそうな情報を意図的に集めようとしたり、その矛盾した情報を避けるために怒ったり、自分にうそをついたりする。

一方、潜在意識のレベルでの苦痛回避のプロセスは、かなり巧妙で神秘的なものである。このレベルでは、私たちの心が、違う環境ならばすぐに認識できるようなほかの選択肢を見つける能力を阻害してしまう。つまり、あるものが自分の希望や期待と矛盾していると、苦痛回避のメカニズムが（あたかもそれらが存在してないかのように）その姿を見えなくしてしまうのである。この現象を先ほど挙げた例で解説しよう。マーケットが自分のトレードに不利に展開しているとしよう。事実、マーケットは思惑とは逆方向にトレンドを形成している。通常ならば、このトレンドパターンの判断や確認は問題なくできる。しかしマーケットが自分のトレードに反して動いているという事実で、そのパターンはその意義を失ってしまう（つまり見えなくなる）。なぜならあまりにも激しい苦痛で、その存在を認められないからだ。

苦痛を避けるために集中力の範囲を狭め、痛みを和らげる情報ばかりに集中する。それがどんなに無意味でささいなものであっても関係ない。一方その間、トレンドの存在を明確にする情報と、そのトレンドの方向でトレードする機会は見えていない。そのトレンドは現実に目の前にあり消えていないのに、それが認知できないのである。つまり苦痛回避のメカニズムは、トレンドを定義し解釈する能力を阻害しているのだ。

マーケットが自分に有利な方向に転換するまで、あるいはトレードから撤退させられるまで、トレンドは見えていないままだ。多額の損を出しているという重圧に我慢できないからである。トレードを手仕舞うか危機を脱するまで、トレンドは見えていない。そしてまた、そのトレンドの方向にトレードして利益を出す機会もまったく見えていないのである。これは完璧な「振り返ればよく分かる」パターンだ。認知していたものとはまったく逆の見方が、事実の後で完璧に明らかになる。しかし自分の心には、もはや自分を守ってくれる手段はない。

だれもがこうした自己防衛の苦痛回避のメカニズムを起動させる可能性がある。なぜなら心の自然な機能だからだ。問題に直面する心の準備ができていなかったり、あるいは対処する適当な技術や能力がなかったり、根深い精神的傷やトラウマを大きくする可能性がある情報から自分を守ったりする場合、この自然のメカニズムはうまく反応する。しかし往々にして、こうした苦痛回避のメカニズムは、自分の期待と一致しない情報から自分を守っているにすぎない。マーケットの観点から見れば、その情報には可能性がある。すなわち、私たちの苦痛回避のメカニズムが、トレードでは特に弊害となっているのだ。

この概念を理解するため、マーケット情報が脅威となるのはなぜか、正確に考えておく必要がある。もともとマイナスの情報を表現する性格がマーケットに存在するため、脅威となるのだろうか。トレードをしていると、そのように感じる人もいるかもしれないが、事実は違う。最も根本的レベルでマーケットを認知する方法は、値動きの上げ下げ、つまり陰線と陽線である。陰線と陽線がパターンを形成し、それが優位性を提供する。では、こうした罫線やそのパターンのなかに、何かしらマイナスを帯びているものがあるのだろうか。繰り返そう。たしかにそう見えるかもしれないが、マーケットにしてみれば情報は常に中立なのだ。どの陰線も陽線もまたそのパターンも、マーケットの位置を伝える情報にすぎない。これらの情報のなかに、もとからマイナスを帯びた性格があるとすれば、そこでトレードしている人はだれもが精神的苦痛を経験していることになる。しかしそうだろうか。

例えば、私たちが硬い物体に頭をぶつけたとき、どのように感じるかは大して差がないだろう。だれもが痛いはずだ。ある程度のフォースを持つ硬い物体と接触すれば、体のどの部分に当たったとしても、正常な神経系を持つ人ならば痛みを経験する。私たちの体は基本的に同じように作られているため、その経験を共有できる。その痛みは、有形物との衝撃に対する自動的な生理学的反応である。環境が言葉やしぐさで表現する情報、つまりこの場合、マーケットが陰線や陽線で表現する情報は、硬い物体がぶつかるのとまったく同じように苦痛を生む可能性がある。しかし情報と物体には重要な違いがある。情報は有形物ではないのだ。原子と分子で構成されてはいない。したがってプラスであれマイナスであれ、情報の影響力を体験するために必要となるものがある。解釈だ。

私たちの解釈には、私たち独自の心の枠組みが機能する。すべての人の心の枠組みが独自で別々のものであるのには、二つの根本的理由がある。まず、すべての人が異なる遺伝子情報による個性を持って生まれるため、その行動や性格に必要とするものは他人と異なる点だ。したがって、こうした必要性に対応する環境の違い、またそれがプラスかマイナスかで、各人は独自の経験をするのだ。そしてもう一つの理由は、さまざまな環境のフォースにだれもがさらされている点だ。こうしたフォースの幾つかは個人的に似ている場合もあるが、どれもまったく同じものではないはずだ。

したがって、生まれながらにして持っている、異なる遺伝子情報による個性の組み合わせの可能な数と、そして人生を通して出合うほぼ無限の環境のフォース（そのすべてが心の枠組みの構成に寄与する）を考えてみると、なぜだれもに共通する普遍的な心の枠組みがないか、容易に理解できるだろう。身体的苦痛を経験する分子構造が共通する私たちの体とは異なり、情報のマイナス（あるいはプラス）の影響力を同じように共有していると確信できるだけの普遍的な心の枠組みはないのだ。

例えば、だれかが自分に精神的苦痛を感じさせようと、意図的に自分を侮辱しようとしたとする。環境の観点から見れば、これはマイナスの情報だ。しかし自分は意図的なマイナスの影響を経験するだろうか。必ずしもそうではない！　マイナスとしてそれを経験するには、マイナスとして情報を解釈しなければならない。この人が自分に分からない言語、あるいは自分には意味が分からない単語で侮辱していたとしたら、どうだろうか。自分を傷つけるような言葉であると定義し理解する枠組みを築かないかぎり、そのマイナスは経験できない。そしてそのときでさえ、どのような感情でその侮辱の裏にある意図に対応するかは分からない。例えば相手のマイナスの意図を認知する枠組みを持っていても、痛みを感じるどころか、ある意味ねじ曲がった喜びを経験するかもしれない。実際、単なる自分の快楽のために、相手にマイナスの感情で怒らせるのを好む人は少なくない。たまたまそのプロセスで侮辱された場合、むしろ自分の悪意がうまくいったと分かって歓喜するだろう。

一方、純粋な愛情を表現する人は、その環境にプラスの情報を投影している。言ってみれば、こうしたプラスの感情の裏にある意図は、愛情・親愛・友情を伝えるためである。しかし、このプラスの情報が投影される人（人々）はそれをそのまま解釈し、経験すると確信が持てるだろうか。いや、必ずしもそうではない。自尊心の非常に低い人や、人間関係に大きな傷や失望を負っている人は、純粋な愛情表現を何か違うものとして誤解してしまうことが往々にしてある。自尊心の低い人の場合、そのように愛される価値が自分にあるとは信じられないかもしれない。向けられたものが純粋、あるいは本物であると解釈するのは、かなり難しいだろう。また人間関係に傷や失望が著しく残っている場合、その人は、愛情の純粋な表現など滅多にないものであると信じやすくなるだろう。そしておそらく何かを欲しているか、そのようにして自分の優位に立とうとしているのだと、その状況を解釈するかもしれない。

これ以上、説明を続ける必要はないだろう。このように他人からのコミュニケーション努力を誤解する可能性があり、あるいは自分の伝えたことが、自分のまったく意図していなかったように曲解される可能性があるのだ。要は、自分にさらされた情報が何であれ、各個人が独自の方法で定義し、解釈し、その結果を経験しているわけだ。その環境が提供していそうな情報が、プラスであろうが中立であろうがマイナスであろうが、それを経験する普遍的な方法はないのである。つまり情報が何であれ、受け取る心の枠組みに普遍的なものはないのだ。

これをトレーダーに当てはめて考えてみよう。マーケットはそのときどきで認知できる情報を提供している。ある意味、マーケットが私たちとコミュニケーションを取っていると言えるだろう。マーケットにはもともとの性格としてマイナスの情報が存在していない、という前提を理解してもらえるのであれば、何が原因で情報がマイナスの質を帯びてくるのか、つまり苦痛の脅威はまさにどこから生じるのか、という疑問に答えられるはずだ。

マーケットから生じないのであれば、利用可能な情報を定義し解釈する方法から生じているはずである。その情報の定義と解釈は、知っているという確信、真実だと信じ込んでいる信念によって機能する。私たちが知っていることや信じ込んでいることが、まったくの事実であるため（そうでなければ信じられないだろう）、自分の信念を期待としてある将来の瞬間へと投影してしまうと、おのずと正解を期待してしまうのだ。

正解を期待していると、自分の真実を裏づけない情報は何であれ、自動的に脅威となる。そして脅威となる可能性があるどの情報にも、苦痛回避のメカニズムがその重要性を阻害・曲解・過小評価する可能性がある。この特徴的な心の働き方は、明らかに弊害となる可能性がある。ただマーケットが自分の望みどおりや期待どおりにならなかったからといって、自分とマーケットとのコミュニケーションを苦痛回避のメカニズムで断ち切ってはならない。なぜなら、マーケットとのコミュニケーションを通して、私たちは建玉、仕切り、増し玉、一部手仕舞いの次の機会を教わるからだ。

例えば、何の意図もなくマーケットを見ていると（たとえあるにしても滅多にトレードしなければ）、陰線や陽線のなかに、怒り・失望・不満・幻滅・裏切りの何かしらを感じさせるものがあるだろうか。あるわけがない！　なぜなら何の問題もないからだ。そのときマーケットがどこにあるか教えてくれる情報を単に見ているだけだ。また観察している陰線と陽線が、自分の判断できるある種の行動パターンを形成している場合、そのパターンは簡単に確認できないだろうか。いやできる！　同じ理由だ。何の問題もないのだ。

何の問題もないのは、期待がないからである。将来のある時点でのマーケットについて自分は知っていると信じたり、確信したり、考えたりしていることを投影していない。その結果、正しいとか間違っているとかは関係なくなる。したがって、情報が脅威となったり、マイナスの質を帯びたりする可能性はないのだ。また特別な期待がなければ、マーケットがそれ自体をどう表現できるかに境目を置くこともない。心の境目がなければ、マーケットの動き方の性質について自分が学んでいることのすべてが確認できる状態にある。自分を守るために自分の知覚を取り除いたり、ゆがめたり、弱めたりする苦痛回避のメカニズムはないのだ。

私は講習会で常に、以下の主要なトレードの逆説を解決するように参加者に求めている。それは「いかにしてトレーダーは厳格であると同時に柔軟である方法を習得すべきか？」である。その答えは、「自分の規則に厳格であり、自分の期待に柔軟でなければならない」である。私たちは自分の規則に厳格である必要がある。そうすれば、ほとんど境目のない環境で自分を常に守ってくれるだろうという自信が深まる。また私たちは自分の期待に柔軟である必要がある。そうすれば、かなりの明瞭さと客観性をもって、その観点からマーケットとのコミュニケーションが取れると認識できる。ここまでくればもう言うまでもないだろうが、典型的なトレーダーはまったく逆の行為をしている。自分の規則に柔軟であり、自分の期待に固執するのだ。非常に興味深いことに、期待に固執すればするほど自分の規則を曲げたり、破ったりしてしまう。

これはマーケットが提供している情報が自分に有利なものであるという期待をあきらめきれないからだ。

感情面のリスクを排除する

トレードの感情面でのリスクを排除するため、そのときその状況で、マーケットがどうなるか（ならないか）についての期待を解消しなければならない。そのためには率先してマーケットの観点から考える必要がある。マーケットが常に確率的にコミュニケーションを取ろうとしていることを忘れないでほしい。チャートや数値を見れば、集団レベルでの自分の優位性はあらゆる面で完璧に見えるかもしれないが、個人レベルでは、値動きのフォースとして作用する可能性のあるすべてのトレーダーが、自分の優位性がうまく機能することを否定できるのである。

確率で考えるためには、確率的環境の基本原理と一致する心の枠組みや心構えを確立しなければならない。トレードに適した確率的心構えは、次の五つの根本的真実からなる。

①何事も起こり得る。

②利益を出すためには次に何が起こるか知る必要はない。

③優位性を明確にする一定の可変要素には、勝ち負けがランダムに分布する。

④優位性があるとは、あることが起きる可能性がもう一つの可能性よりも比較的高いことを示しているにすぎない。

⑤マーケットのどの瞬間も唯一のものである。

精神的苦痛を経験する可能性は、自分がさらされている情報の定義と解釈の仕方から生じる。このことを肝に銘じておいてほしい。これら五つの真実を受け入れたとき、自分の期待は市場環境の心理的現実と常に一致していることになる。適切な期待があれば、マーケットの情報を苦痛や脅威として定義したり解釈したりする可能性を排除するだろう。そしてそれによって、トレードの感情面のリスクが効率的に解消されるのである。

目的は、常に未知のフォースがマーケットに存在するという事実を完璧に受け止め、気楽な心理状態を生み出すことにある。これら五つの真実を根本的信念のなかで十分発揮できるようになったとき、心の理性的部分が（トレードの本質について自分が抱いているその他の信念と同じように）これらの真実を守ってくれるだろう。これはつまり、少なくとも理性のレベルで、「次に何が起こるか確信できる」という自動的な考えや思い込みから、自分の心が守ってくれることを意味する。各トレードが予測できない結果を生む唯一の事象であり、過去のほかのどのトレードとも関係はランダムであると信じるのであれば、次の事態を確信できると信じて正解を期待することはできないはずだ。

もし本当に結果の不確実性を信じるのであれば、何事も起こり得るのだと予測できなければならない。逆に、自分の心が自分の「知っている」観念にしがみついた瞬間、あらゆる未知の可変要素を考慮に入れなくなってしまう。私たちの心にはその両立はできない。もし何かを知っていると信じてしまえば、今この瞬間は唯一でなくなる。今この瞬間が唯一でなくなれば、すべてを理解できてしまう。つまり知らないことはなくなる。しかし、それではマーケットが「今」提供しているものを認識できる状態でなくなってしまう。その状況について知らないことを考慮できなくなってしまうと、あらゆるミスを犯してしまうであろう。

例えば、結果の不確実性を本当に信じていれば、前もってリスクを明確にせずにトレードを仕掛けようと考えられるだろうか。本当に分からないと信じるのであれば、損切りを躊躇できるだろうか。あるいは、自分が機会を逸してしまうと確信していないのであれば、マーケットから売買シグナルが点灯する前に予測できるはずがないのに、トレードを早まってしまうというミスをなぜ犯してしまうのだろうか。

マーケットがいつまでも自分の思惑どおりになると確信していないのであれば、どうして勝ちトレードを放置して負けにしてしまうのだろうか。あるいは、なぜシステム化された利食いの方法を持たないのだろうか。またマーケットが自分の建玉位置に回復して、まだ負けであると確信していないのに、なぜトレードの維持に躊躇してしまうのだろうか。あるいはなぜまったく仕掛けようとしないのだろうか。そして、間違いないと確信できないのであれば、なぜリスクマネジメント規則を破ってまで、資金的（あるいは感情的）許容範囲を超えた、損失に耐え切れないような大きな建玉を積極的にしてしまうのだろうか。

そして最後に、勝ちと負けにランダムな分布があると本当に信じているのであれば、なぜマーケットに裏切られたと感じるのだろうか。コイン投げの予測では、単に前回が当たっていたから次も正解するとは必ずしも期待しないだろう。あるいは前回が間違っていたから次も間違うとも予期しないだろう。表と裏がランダムに出ると信じていれば、自分の期待はその現実の状況と完全に一致しているはずだ。たしかに正解でありたいだろう。そしてもしそうであれば、それは素晴らしいことであろう。しかしもし間違えても、そのコイン投げに裏切られたと感じないはずだ。なぜなら、結果に影響するのは未知の可変要素であると知っていて、受け止めているからである。未知とは「コイン投げの前に合理的思考プロセスで考慮できるものではない」という意味であるが、ただしそこにはまた、「自分が知らないと完全に受け止めている」という意味が含まれている。その結果、自分が裏切られたときに湧き起こる心理的苦痛といったものを体験する可能性は、ほとんどなくなるのだ。

結果のランダム性を予期しているトレーダーは、たとえ優位性の定義にはっきりと従い、勝ちトレードに終わったとしても、マーケットの動向に対して少なくともちょっとした驚きが常にあるはずだ。しかし、結果のランダム性を予期したからといって、自分の推理と分析能力がまったく結果に反映しないわけではない。あるいは次に何が起こるか予測できないというわけでもないし、それが予感できないというわけでもない。なぜなら、できるからだ。そしてまた、それぞれの事例で正解するのは可能だ。ただ正解を「期待」できないだけなのだ。たとえ正解で、状況がまったく同じように見えても、聞こえても、感じても、今回に機能したものが何であれ、それが次回にまた機能するとは期待できない。

「今」マーケットで認識している状況が、自分の心の環境にある過去の体験とまったく同じにはけっしてならない。しかし自分の心に（固有の自然な機能に）好きにさせたままでは、両者を一致させてしまうだろう。なぜなら「今この瞬間」と過去の経験から知っていることとの間には類似点があるからだ。とはいえ、こうした類似点には、自分に勝算を与える要素だけが関連しているにすぎないのだ。「次に何が起こるか分からない」という観点でトレードしていれば、「今この瞬間」と過去の経験を一致させようとする心の自然な傾向を回避できるのである。過去と現在を一致させる行為が不自然だと分かっているかぎり、ある過去の経験（損失であろうが大勝であろうが）に心理状態が支配されることはない。もし支配させてしまったら、マーケットからもたらされる情報をマーケットの観点から認識することは非常に難しいだろう。

私がトレードを仕掛けるときは、何かが起こるのを予期するだけである。自分が優位性だと思うものがどれぐらい良いかは関係なく、マーケットがある方向へと動き、自己表現するのを期待するだけである。しかし、私が確信していることが幾つかある。マーケットの過去の動向から、自分の賭けた方向にマーケットが動く可能性が十二分にある（あるいは条件を満たしている）と分かっているのだ。その許容範囲は、少なくともそうなるかどうか結論を出すのに、喜んで資金を費やそうと思う額である。

したがって、トレードを仕掛ける前に、自分が損切る位置も分かっている。そのポイントは常に、勝算が収益性との関係からかなり低くなったところである。そしてそこはトレードが機能するか発見するために、さらに資金を費やす価値がないところである。マーケットがその位置に達すれば、疑いや躊躇や内的葛藤もなく、自分はトレードを手仕舞うと分かっている。損失は何の精神的ダメージも生まない。なぜならその体験をマイナスには解釈していないからである。損失は単にビジネスのコストでしかなく、トレードに勝つための必要資金でしかない。

一方、トレードに勝っている場合、通常は自分が利食いしようとするところを確信している（もし確信していないとすれば、間違いなく非常に良いアイデアがある）。

最高のトレーダーは「今この瞬間」にいる。なぜならストレスがないからだ。ストレスがないのは、トレードに進んで費やそうとする資金以外にリスクがないからである。正しくあろうとしないし、間違いを避けようともしない。何かを証明しようとしているわけではないのだ。マーケットが、自分の優位性が機能していないとか利食いのときだと教えてくれることがあれば、自分の心にこの情報を阻むものは何もない。マーケットが提供しているものを完璧に受け取って、次の優位性を待つのである。

第八章

信念の役割

Working With Your Beliefs

それでは次の課題として、第七章で挙げた五つの根本的真実をどのように機能的レベルで心の環境に適切に取り入れるか考えてみたい。うまく取り入れるには、これらの信念の性質、属性、特性を深く探る必要がある。しかしその前に、これまで提示してきた主要な概念を振り返り、より明確でより実践的な枠組みにまとめようと思う。そうすれば、第八～一〇章で習得する内容が、トレーダーとしての目標達成のためにすべき課題をすべて理解するための土台となるだろう。

問題の意味を明確にする

最も根本的なレベルでは、マーケットはパターンを形成する陰線と陽線の一連の流れにすぎない。そしてテクニカル分析は、そのパターンから優位性を定義する。優位性として定義された顕著なパターンは何であれ、マーケットが他方よりも一方に向かう可能性が高いことを示しているにすぎない。しかし、ここに大きな心理的逆説がある。なぜならパターンは一貫性、あるいは少なくとも一貫した結果を暗示しておきながら、実際にはそれぞれが唯一のものだからである。ある一つの出来事が、次の出来事とまったく同じように見える（あるいは実際に同じに見える）かもしれないが、それは表面上の類似にすぎない。なぜなら各パターンの裏にある根本力学は、トレーダーたちだからだ。ある一つのパターン形成に寄与するトレーダーたちは、次のパターンに寄与するトレーダーたちと常に違う。つまり各パターンの結果をほかのものと比較すれば、ランダムになるのだ。私たちの心のなかには、もともと設計された性格（連想のメカニズム）がある。そして、それがこの逆説の処理を困難にさせているのである。

優位性（あるいはその優位性が提示するパターン）は、どの時間枠にも出現し、仕掛け、仕切り（トントンにする）、利食い、損切り、増し玉、一部手仕舞いの機会の流れを絶え間なくもたらしている。つまり、マーケットにしてみれば、どの瞬間にもトレーダーの一人一人に、自分自身の利益のために何かをする機会を提供しているのである。

しかし、自分のために何かをする機会で、あるいはその機会で実際に規則どおりに行動しているときでさえ、「今この瞬間」の認識を妨害しているものがある。それが恐怖だ！　では、恐怖の根源とは何か。もちろんマーケットではない。なぜならマーケットの観点から見れば、マーケットのもたらす陰線・陽線やパターンは、プラスもマイナスも帯びていないからである。したがって陰陽線自体には、私たちが激しいプラスやマイナスの精神状態に達し、客観性の欠如、ミス、機会喪失の原因となる影響力はない。

では、マーケットがマイナスを帯びた精神状態を経験する原因ではないとしたら、何が原因か。それは私たちが認識する情報の定義と解釈の仕方である。そうだとすれば、何が私たちの認識している情報を決めているのだろうか。そしてどのような方法でその情報を定義し解釈すると決めているのだろうか。それは、真実であると信じているものや確信しているものである。信念は連想と苦痛回避のメカニズムに連動し、私たちの五感にフォースとして作用する。そして、それが私たちの期待と一致するように、マーケット情報を認識・定義・解釈する原因となっているのだ。私たちが期待するものは、私たちが真実であると確信したり、想定しているものと同じである。そして、期待はある将来の瞬間に投影された信念である。

マーケットにしてみれば、それぞれの瞬間が唯一のものである。しかしマーケットが発する情報の性格・性質・特性は、すでに私たちの心にあるものと類似している。そして私たちの心は、外部と内部の情報を自動的に関連づけてしまう。この関連づけは、外部情報から内部情報にある信念・確信・記憶を連想させ、それらに該当する心理状態（自信、自己陶酔、不安、恐怖、失望、後悔、裏切りなど）を引き出してしまうのである。つまり、外部の情報が私たちのなかにすでにある情報と、まったく同じものである「かのように」してしまうのだ。

心理状態は、外部（マーケット）にあるものが何であれ、その認識した真実が明白で問題にならないものであるかのようにしてしまう。なぜなら心理状態は、常に絶対的な真実だからである。例えば、自分が自信を感じていれば、自分に自信があるのであり、怖いと感じていれば、自分は怖いのである。心と身体のなかを流れるエネルギーの質を一度たりとも疑うことはできない。そして自分の感じ方を疑いのない事実として「知っている」ので、そのとき自分が認識している外部の真実もまた知っていると思い込んでしまうのである。しかしそこが問題だ。自分の感じ方が常に絶対的な真実であっても、心理状態や感情の引き金となる信念は、そのときのマーケットにある可能性によって真実となるかもしれないし、そうでないかもしれないのだ。

例えば男の子と犬の話を思い出してほしい。彼は絶対的な真実として、自分が次に会った犬を脅威であると「知った」。なぜなら犬を認知したとき、心のなかにある感情を引き出したからである。つまり、次に会った犬が恐怖の原因となったのではない。連想と苦痛回避のメカニズムに連動したマイナスの記憶が、恐怖の原因となったわけである。たとえ環境の観点から存在する可能性とは一致していなくても、独自の真実を経験している。実際は、彼の持つ犬の性質についての信念は、いろいろな犬が表現しそうな性格や特性と比較すれば限られている。しかし初めて犬に会ったとき経験した心理状態が原因で、犬から何が予期されるか、はっきりと「知っている」と信じてしまうのである。

これとまったく同じプロセスが原因となって、私たちはマーケットから何が予期されるか、はっきりと「知っている」と信じてしまう。しかし実際は違う。常に未知のフォースが存在している。だからこそ問題なのだ。どうなるか「知っている」と思い込むことでつまり、すべての未知のフォースと、そのフォースが生み出しそうなさまざまな可能性を考慮しなくなってしまっているのである。未知のフォースとは、将来に対する信念から仕掛けや仕切りのタイミングを待っているほかのトレーダーたちである。すなわち、実際にマーケットから何が予期されるかはっきりと知るためには、値動きのフォースとして作用する可能性を持つすべてのトレーダーたちの心理を読めなければならないが、その可能性はかぎりなく低いのだ。

トレーダーが「自分はマーケットから何が予期されるか（マーケットがどうなるか）知っている」というのは傲慢にほかならない。自分の視覚・聴覚・感覚ではっきりと「知る」ことができるのは、優位性がどのようなものかだけである。またその優位性が機能するか判断するために、どれくらいのリスクをかける必要があるか、はっきりと「知る」ことができる。さらに、トレードが機能した場合、どのように利食いするか具体的な計画を持っていると「知る」ことができる。しかしそれだけだ！「自分は知っている」という考え方が、マーケットがどうなるのかにまで拡大し始めたら、問題が生じる。マイナスのエネルギーを帯びる結果となるのだ。「自分はマーケットがどうなるか知っている」という心理状態は、陰線・陽線やどのマーケット情報も、自分自身のために何かをする機会どころか、間違った解釈をしてしまう原因となる信念・記憶・姿勢を支えてしまうのである。

用語を定義する

目的は何か？

究極的にはもちろん、すべての人の目的はトレードでの利殖（勝利）である。しかしトレードの目的が勝利でしかないと思うのなら、本書を読む必要はないだろう。トレードに勝つためには、あるいは連勝するためにさえ、まったく技術を必要としないからだ。しかし一貫した成績を残し、収益を維持するには技術を必要とする。そして一貫した成績は、確かな心理的技術の習熟から派生するのである。この点を理解できるようになればなるほど、お金に集中するよりも、トレードをこうした技術を習得するためのツールとして利用する方法に集中するようになるだろう。

技術とは何か？

一貫性とは気楽で客観的な精神状態から生じ、「今この瞬間」マーケットが（その観点から）提供しているものを何でも認識し、それを踏まえたうえでの行動を可能にする。

気楽な精神状態とは何か？

気楽さとは自信である。しかし自己陶酔ではない。気楽な精神状態であれば、トレードに恐怖・躊躇・驚愕は感じないだろう。なぜならマーケット情報を脅威として定義し解釈する可能性を、効果的に排除しているからである。脅威の感覚を取り除くには、完璧にリスクを受け入れなければならない。リスクを受け入れれば、どのような結果にも動じないでいられるだろう。どのような結果にも動じないためには、心の環境にあるマーケットについての五つの根本的真実と矛盾するものを解消しなければならない。さらに重要なことは、これらの真実を核となる信念として、心のシステムに取り入れなければならない。

客観性とは何か?

客観性とは、マーケット動向の性質について学んだすべてのものを意識的に利用している心理状態である。つまり自分の苦痛回避のメカニズムに、何も阻害されたり、変えられたりしない状態だ。

「心の準備をする」とはどのような意味か?

心の準備をするとは、証明するものが何もないという観点からトレードするという意味である。何とかして勝とうとか、負けを免れようとか、お金を取り戻そうとか、マーケットに復讐しようとかはしない。つまりマーケットがどうであろうとマーケットの好きなままにして、そこから可能性のある機会を認識し、その優位性を利用できる最高の心理状態にしておく。そして、それ以上の予定は何も持たずにマーケットに参加するのである。

「今この瞬間」とは何か？

「今この瞬間」トレードしているとは、建玉、仕切り、増し玉、一部手仕舞いの機会を、すでに自分の心のなかにある過去の体験から連想する可能性がない、という意味である。

根本的真実と技術を関連づける方法

１．何事も起こり得る

なぜなら、いかなるとき、いかなるマーケットにも、未知のフォースが常に存在しているからだ。つまり自分の優位性がプラスの結果を生むのを、世界のどこかにいるたった一人のトレーダーが否定できるのだ。それだけだ。たった一人だ。どんなに時間や努力、そしてお金を分析にかけたとしても、マーケットの観点から見れば、この真実に例外はない。自分の心のなかに例外があるとすれば、それは矛盾の根源となる。そしてマーケット情報を脅威として認識する原因となる可能性がある。

2．利益を出すためには次に何が起こるか知る必要はない

なぜなら、優位性と定義した一定の可変要素において、勝ち負けはランダムに分布するからである（三つ目の真実を参考にしてほしい）。例えば、自分の優位性を過去の成績に基づいて見てみると、次の二〇回のトレードのうち、一二回が勝ちで、八回が負けであると分かるかもしれない。しかし、勝ち負けがどのように並ぶか、あるいは勝ちトレードからマーケットはいくら利益をもたらしてくれるかは分からない。この真実から、トレードは確率や数字のゲームとなる。トレードを単なる確率のゲームだと確信したとき、正解・不正解の概念と勝ち負けの概念は、もはや同じ意義を持たなくなる。結果として、自分の期待は可能性と調和するであろう。

忘れないでほしい。満たされない期待ほど精神的苦痛の原因となるものはないのだ。精神的苦痛とは、外部環境が自分の予期したものや真実であると信じているものを反映しないときの、普遍的な反応である。その結果、自分の期待を支持しないマーケット情報は何であれ脅威として自動的に定義され、そして解釈される。その解釈が原因となって、私たちはマイナスを帯び

た防衛的心理状態になってしまうのだ。そして結局のところ、自分が避けようとしたまさにそのものを経験してしまうのである。

マーケットが自分に何かをしてくれると期待している場合、マーケット情報は脅威でしかない。一方、マーケットが自分を正解にしてくれると期待しなければ、間違いを恐れる理由がない。マーケットが自分を勝たせてくれると期待しなければ、損失を恐れる理由がない。マーケットが永遠に自分に有利な方向へ動くと期待しなければ、利食いし損なう理由がない。機会が現れたことを認識しただけであって、その機会すべてがうまくいくと期待しなければ、機会を逃すことを恐れる理由がない。

一方で、以下のことは知っておくべきである。

①トレードを仕掛ける前に、勝算が自分にあると知っている。
②トレードが機能していると判断するまで、いくら費やせるか知っている。
③そのトレードで利益を出すために、次に何が起こるか知る必要はないと知っている。
④何事も起こり得ると知っている。

これらを確信したからといって、ミスを犯してしまう理由となるだろうか。またこれらの確信が、苦痛回避のメカニズムを起動し、マーケット情報を知覚から排除してしまう理由となるだろうか。そうは考えられない。「何事も起こり得る、そして稼ぐために次に何が起こるか知る必要がない」と確信しているのであれば、自分は常に正解なのである。自分の期待が、自分ではなくマーケットの観点によって存在するとき、その期待は常に状況と調和しているはずだ。それは精神的苦痛を経験する可能性を効果的に打ち消しているのである。

また同様の理由で、トレードは確率や数字のゲームであると確信しているのであれば、一回の負けトレードやたとえ連敗したとしても、どうして典型的なマイナスの影響があると言えるだろうか。自分の優位性が自分に有利な勝算を持つのであれば、あらゆる負けがそれだけ勝ちにより近づいているのだと教えてくれているのである。これを確信したとき、負けトレードへの反応にもはやマイナスの感情の性質はない。

3．優位性を明確にする一定の可変要素において、勝ち負けはランダムに分布する

あらゆる負けがそれだけ勝ちに近づいているのであれば、自分の優位性で次に起こる事態を楽しみにし、何の条件も躊躇もなく実行する準備をして機会を待ち構えるだろう。一方、まだトレードは分析や正解へのこだわりであると確信しているとしたら、負けた後で次の優位性の出現を予期するときに、その優位性が機能するのかという疑問と恐怖を抱くだろう。そしてそ

れが原因で、トレードに賛成する（あるいは反対する）証拠を集め始める。機会を逃すのではないかという恐怖が損失の恐怖を上回れば、トレードを支持する証拠を集めようとするだろう。あるいは損失の恐怖が機会を逃すのではないかという恐怖を上回った場合、トレードに反対する情報を集めようとするだろう。どちらの場合でも、一貫した結果を残すのに最適な心理状態ではない。

４．優位性があるとは、あることが起きる可能性がもう一つの可能性よりも比較的高いことを示しているにすぎない

一貫性を達成するためには、トレードに希望や疑念を持たず、あるいは次のトレードが機能しそうか、何とかして判断しようと証拠集めをせず、完全に受け止める必要がある。集める必要がある唯一の証拠は、優位性を定義するために利用している可変要素が、いつでも現れているかどうかである。「ほかの」情報、つまり通常トレードの優位性を判断するときに使わない数値を利用したとき、自分の売買計画にランダムな可変要素を加えていることになる。ランダムな可変要素を加えると、何が機能し何が機能していないか判断が(できないことはないが)かなり難しくなる。そのままで自分の優位性が実現すると確信がもてないようであれば、優位性にまったく自信がないのと同じである。自信を失えば失うほど、恐怖を感じるだろう。皮肉な

ことに、ランダムで一貫しないアプローチこそ、自分が恐れているまさにそのものを生み出している。そしてそれに気づかずに、ランダムで一貫しない結果におびえてしまっているのである。

一方で、「優位性とは単に一つのことがもう一つのことよりも起こる可能性が高いことである」と信念と、優位性を定義する一定の可変要素には勝ち負けがランダムに分布するという信念があれば、トレードに賛成や反対する「ほかの」証拠を集める必要がない。こうした二つの信念で行動しているトレーダーには、なぜ「ほかの」証拠を集めるのか理解できないだろう。あるいはこのように言えるかもしれない。「ほかの」証拠を集めるとは、コイン投げにおいて直近の一〇回で裏が出た後で次のコイン投げの結果が表であるかどうか判断しようと努力しているのと同じ感覚である。次に表が出るのを支持する証拠が何であろうと、次のコイン投げで裏が出る確率は、依然として五〇%である。同じ理由で、トレードが機能する（あるいは機能しない）ことを支持する材料をどれだけ集めたにせよ、世界のどこかにいるたった一人のトレーダーが、自分の証拠の正当性を（全部でないにしてもいくらか）否定できるのである。第一、なぜそのようなことをわざわざしなければならないのか！　マーケットが正当な優位性を提供しているのならば、リスクを明確にしてトレードするのだ。

5．マーケットのどの瞬間も唯一のものである

唯一性の概念について少し考えてみたい。「唯一」とは、存在している、あるいは今まで存在していたほかのものとは違うという意味である。唯一性の概念が理解できたからといって、私たちの心が実践的レベルでそれをはっきりと受け入れたとは言えない。すでに論じたように、私たちの思考回路は、自動的に外部の環境にあるものから、内部にすでに記憶・信念・姿勢としてある類似したものを（意識的に気づくことなく）連想してしまう。このため、自分自身の世界に対する自然な考え方と、世界の存在の仕方の間には、もともと矛盾が生じている。外部環境には、まったく重複するような二つの瞬間はない。なぜならそうなるには、すべての原子やすべての分子が、その前の瞬間にあった位置とまったく同じでなければならないからだ。その可能性はかぎりなく低い。しかし、情報処理のために設計されている私たちの心を基にすると、その環境の「今この瞬間」を自分の心のなかのある以前の瞬間とまったく同じものとして経験してしまうのである。

どの瞬間もどれとして同じものがないのであれば、次にどうなるか「知っている」と確信できるようなものは自分の論理的経験のレベルには何もないのである。したがって、もう一度言わせてもらおう、なぜわざわざ知ろうとするのだろうか!?　知ろうとしたとき、それは本質的に正解であろうとしている。ただし、私はマーケットが次にどうなるかけっして予測できないという意味で言っているわけではない。なぜならたしかにできるし、当たることもあるからだ。

しかしその努力のなかで、すべての問題に直面してしまうのだ。例えば、一度マーケットを正確に予測したと信じてしまえば、自然と次もそうしようとするだろう。その結果、自分の心は自動的に、過去に自分がその動向を正確に予測したときにあったあるパターン、環境、状況を探し始めるだろう。そしてそれを見つけたとき、自分の心理状態は、あたかもそのすべてのものが過去にあったものとまったく一緒であるかのようにしてしまう。ここが問題となる。マーケットにしてみれば、それはまったく同じではない。その結果、失望のお膳立てをしているのである。

最高のトレーダーとその他大勢を分けているものは、その瞬間の唯一性を信じる心の鍛練をしているところである（たとえこの鍛練がたいてい、唯一性の概念を「本当に」信じる前に、幾つかの幸運を失うものであるにせよ）。この信念は解消のフォースとして作用する。自動的連想のメカニズムを打ち消しているのである。各瞬間が唯一のものであると本当に信じたとき、当然、心のなかにその瞬間を関連づける連想のメカニズムはない。この信念が心的フォースとして作用し、それによって、マーケットの「今の」瞬間と、心の環境に整理されたある過去の瞬間とを区別して考えられるようになるのである。各瞬間の唯一性に対する信念が強まれば強まるほど、連想の可能性は低くなる。連想の可能性が低くなればなるほど心は開き、それだけマーケットがその観点から提供しているものを認識できるだろう。

「ゾーン」へ

マーケットの心理的現実を完全に受け止めたとき、トレードのリスクも同様に受け止めている。トレードのリスクを受け止めたとき、苦痛としてマーケット情報を定義する可能性を排除している。苦痛としてマーケット情報を定義し解釈するのをやめたとき、自分の心が避けるものは何もなく、防ぐものもない。防ぐものがなければ、値動きの性質について分かることすべてが利用できるであろう。阻害されるものが何もないということはつまり、自分が（客観的に）学んだ可能性すべてを認識できるという意味である。そして自分の心が、エネルギーの真のやりとりに解放されているため、以前は認識できなかったほかの可能性（優位性）をまったく自然に発見し始めるだろう。

自分の心がエネルギーの真のやりとりに解放されるようになれば、次にどうなるかすでに知っていると思い込めるはずがない。そもそも信じ込める状態ではない。次にどうなるか知らなくても平穏な状態でいられるとき、マーケットがその観点から、次に何が起こるか自分に教えてくれる情報に心の準備をしているのであり、その観点からマーケットと影響し合えるのである。その時点では、自然と「ゾーン」へと到達する最高の心理状態にあるだろう。そしてそこでは「今この瞬間の機会の流れ」のなかにいるのだ。

第九章 信念の性質

The Nature Of Beliefs

ここまでで、トレードに関する五つの根本的真実の習熟がどれだけの利点をもたらすか理解してもらえたと思う。そこで本章では、すでに心のなかにあるほかの信念とは矛盾させずに、これらの真実を中核的信念とし、心のシステムに適切に取り入れる方法の習得を課題とする。

この課題はなんとなく難しそうな感じがして、弱気になるかもしれない。たしかにほかの状況下ならばそうかもしれない。しかし本書の読者は違う。第一一章に簡単な売買演習がある。五つの根本的真実を機能的レベルの信念として適切に取り入れるために特別に作成されたものだ。機能的レベルでは、気楽な精神状態で自然にトレードするだけであると悟りきっている。

すべきことをはっきりと認識し、躊躇も内的葛藤もなくそれを実行できる。

ただし演習を実行する前に本章を読んでもらいたい。記載された演習方法をざっと読んでみると、おそらく非常に簡単そうだと思うであろう。その実践の根底にある意味合いを徹底的に理解する前に、今やってしまおうと思うかもしれない。しかし考え直してほしい。気がつきにくい課題ではあるが、新しい信念を取り入れ、そしてそれらと矛盾する既存の信念を変える方法の習得過程には、重大な力学が潜んでいるのだ。演習方法そのものの理解はやさしい。しかしその前に、その演習をどのように利用して信念を変化させるか理解しなければならない。本章と次章で提示された概念を理解せずに実践しても、望ましい結果は得られないであろう。

いかに成功の原理をよく分かっていても、それを完全に受け止めるためには懸命に自分の心を鍛えなければならない。かなりの心の努力を費やす必要がある。しかしそれが当然だと分かっているだろうか。この点も重要だ。投資顧問のボブを思い出してほしい。彼は確率の概念を徹底的に理解していると信じ込んでいた。しかし、確率の観点から行動する能力を持ち合わせていなかったではないか。

多くの人が、一度何かを理解してしまえば、その新しい理解が持つ見識が自動的に自分のアイデンティティーの機能的部分になると誤って思い込んでしまっている。得てして概念の理解は、機能的レベルでその概念を取り入れるプロセスの第一段階にすぎない。特に確率的思考法に関する概念では、これが当てはまる。私たちの心には、自然に「客観的に」なるとか、「今この瞬間」にいると考えられる回路はない。つまりこうした観点から考えられるように、自分の心を積極的に鍛えなければならないのだ。

この演習をするなかで、解決しなければならない多くの矛盾した信念が出てくるだろう。こうした矛盾した信念には客観的精神状態、つまり「今この瞬間の機会の流れ」を経験するのに最適な意思を阻害する影響力がある。例えば、マーケットを読む方法を習得するために長い年月をかけてきた場合、また多額の資金をかけてテクニカルシステムを開発（あるいは購入）してきた場合を考えてほしい。それまでマーケットが次にどうなるかを見つけだそうと努力してきたのに、今になって、次にどうなるかは知る必要がなく、そして知ろうとする試みさえ客観的行動やその瞬間にいる能力を損ねてしまうのだと理解できるだろうか。成功するためにはマーケットが次にどうなるか知る必要があるという古い信念と、知る必要がないという新しい知識は、はっきり矛盾している。

それでは、この新しい知識は、「知る必要がある」という信念を強化するのに費やされたすべての時間、資金、エネルギーをすぐさま解消できるであろうか。願わくば簡単であってほしいと思う。しかしそれができる運の良い人はごく少数だろう。第四章でソフトウエアのプログラムにたとえて心理的距離を説明した箇所を思い出してほしい。人によってはこうした新しい観点にかなり近づいており、ただ不足した幾つかの部分を結集して、「ひらめき」という心的変化を引き起こせばよいだけの場合もある。

しかし、千人以上のトレーダーたちの相談に乗ってきた経験から、大半の人はこうした観点にまったく近づいていないと断言できる。このような人たちは、トレードの新しい理解を心のなかに取り入れるために膨大な心的作業が（膨大な時間のうえに）必要となるだろう。素晴らしいことに、第一一章で提示された売買演習で五つの根本的真実を取り入れた結果、潜在的矛盾の多くを解決できるのだ。ただし解決できるのは、自分が何をしているのか、なぜそれをしているのか、はっきりと認識している場合だけである。本章と次章の主題はその認識にある。

信念の起源

信念の本質について何を習得できるのか。そして一貫して成功するトレーダーになりたいという願望の育成に不可欠な心構えを築くため、その知識をどう利用できるのか。本章では、これらの疑問に焦点を当て、解説したいと思う。

まず、私たちの信念の起源に注目したい。前述したように、記憶・区別・信念はエネルギー、厳密には構造的エネルギーの形で存在する。本書の最初のほうでは、これら三つの心的要素について以下の点を説明した。

①記憶・区別・信念は物理的には存在しない。
②私たち自身と外部環境の間に存在する因果関係がこれらの心的要素を生む。
③自分が学んだことを外部環境から認識すると、どうして因果関係が逆転してしまうのか。

信念の起源を理解するために、まず三つの心的要素をばらばらにし、記憶と信念の差異を解説しなければならないと思う。その最適な方法として、幼児の心理をイメージしてほしい。生まれたばかりの幼児の場合、経験した記憶は純粋な形で存在するだろう。つまり、見たもの、聞いたもの、におったもの、触れたもの、味わったものの記憶は、具体的な言葉や概念に整理されたり結びついたりせず、純粋な知覚情報として心のなかに存在する。そこで、この元の形のまま蓄積された知覚情報を「純粋な記憶」として定義しておく。

一方、信念とは、外部環境の表現方法の本質（特徴）に対する概念である。そして概念は、純粋な知覚情報を私たちが言語と呼ぶ記号法に結びつける。例えば、多くの幼児には「親に愛情を込めて育てられてどのように感じたか」という純粋な記憶がある。しかし幼児にはまだ、適当な言葉に関連づけて、自分の記憶に蓄積された純粋な知覚情報を連想する方法を教えられていない。つまり、愛情を込めて育てられてどのように感じたかについての概念を形成する方法をまだ教わっていないのだ。

「素晴らしい人生」という文句は概念である。その言葉を形成している文字自体は意味のない抽象的記号の集合にすぎないが、この言葉と親の養育に対するプラスの感情を結びつける方法をこの子が教わったり、あるいは判断したりすれば、その文字はもはや抽象的な記号の集合ではなくなり、この言葉はもはや抽象的な文句ではなくなる。「素晴らしい人生」は存在の本質や、世界がどのように動いているかについて決定的な区別となる。またそれとまったく同じ論理で、自分の必要性と比較して十分な養育を受けていないと感じた子供は、その精神的苦痛の感情を「つまらない人生」とか「はかない世の中だ」といった概念と容易に関連づけるであろう。

どちらにせよ、記憶や経験からのプラスやマイナスのエネルギーは、概念というひとかたまりの言葉に関連づけられる。そしてその結果、概念はエネルギーを持ち、現状の特徴についての信念へと変わるのである。言語という枠組みで構成された概念が経験を通じてエネルギーを持つと考えてもらえれば、どうして私が信念を「構造的エネルギー」と呼んでいるかはっきりと分かってもらえるだろう。

では、信念が存在するようになると、それがどうなるのか。それがどのように機能するというのか。ある意味、こうした質問をバカげていると感じるかもしれない。結局のところ、私たちは皆信念を持っている。常に言葉と行動を通して、自分の信念を表明している。そして他人が自分たちの信念を表明したときは、その人たちの信念と常に影響し合っている。しかし「厳密に信念は何をするのか？」と聞かれて、何かしら思い浮かぶだろうか。

身体の部分である目・耳・鼻・歯の機能について聞かれれば、だれもが問題なく答えられる。ところが信念は（人生の質に衝撃をもたらすという意味で）個性に存在する非常に重要な部分であるため、ほとんど考慮されない。あるいは理解されない。これは間違いなく人生の大きな皮肉の一つであるに違いない。

「ほとんど考慮されない」理由は、身体のどこかに問題があれば、自然とその部分に神経が集中し、その問題を直すために何が必要かを考えられるが、人生の質的問題（例えば、ある分野での幸福感の欠如・不満・不成功）は、それが自分の信念に根ざしているとは必ずしも気がつかないからである。

信念に対する考慮の欠如は普遍的な現象であり、特徴の一つである。つまり、信念は自分の体験は自明で問題外であると思い込ませてしまうのだ。事実、トレーダーとして持続的成功を体験したいという強い願望がなければ、信念について深く研究しようなどとは思わないであろう。信念が問題の根源と気がついて研究し始めるまでに、かなり長い欲求不満の年月を過ごしているのが普通なのだ。

ただし、たとえ信念がアイデンティティーの難解な部分であるとしても、この自己分析のプロセスを過度に個人的な問題として考える必要はない。まず、だれもが何の信念も持たずに生まれてくるという事実を考えてほしい。私たちは後天的に、組み合わせることで信念をすべて学んできたのだ。さらに私たちの人生に最も根深いところで影響をもたらしている信念の多くは、自分の意思で自由に選んで教わったものではない。他人から教え込まれたものである。ところが、大半の困難の原因となっている信念が常に他人から意識的な同意なしに教え込まれているという事実に、おそらくそのときだれも驚かなかったであろう。なぜなら、あまりにも幼く無知なときに信念を教え込まれているため、そのマイナスの意味にだれも気がつかないからだ。

信念はその内容にかかわらず、一度存在してしまえば、基本的に同じように機能する。身体的部分と基本的に違うところはなく、その役割には特色がある。例えば、自分の目と他人の目、自分の手と他人の手、自分の血液と他人の血液を比較すれば、基本的に同じように機能し、役割には特色があると分かるはずだ。同じ論理で、「素晴らしい人生」という信念も「つまらない人生」という信念も同じような機能を果たす。信念自体の内容は異なるし、それらの信念を抱く人の人生の質に、その信念がもたらす影響は千差万別だろう。しかしどちらにせよ、まったく同じように機能するのである。

信念、そしてそれが人生にもたらす衝撃

広義には、信念が日常生活での経験の仕方を決定する。前述のとおり、生まれたときには信念は何一つない。教え込まれて積み重なるのである。例えば、自分が生まれたところとほとんど共通点のない文化・宗教・政治制度があるところで生まれた場合、自分の人生がどう異なっているか考えてほしい。なかなか想像し難いだろうが、そこで人生の本質と世界の動き方について信じるように教え込まれたことが、現在自分が信じていることとまったく類似点がなかったとしても、現在の自分が抱いている信念と同じ程度の確かさで、こうしたほかの信念を受け入れているであろう。

信念は人生をどのように決定するか

①環境が発する情報の認識と解釈を、私たちが信じているものと一致するように処理する。
②期待を生む。留意すべきは、期待とはある将来の瞬間に投影された信念であること。自分

が知らないものは期待できないのだから、期待とはある将来の瞬間に投影された自分の知っていることであると言える。

③自分が実行しようと決めたことや実際の行動表現は、何であれ自分の信じていることと一致する。

④最終的に、信念は自分の行動の結果についてどのように感じるかを決定する。

通常、信念は私たちがしていることすべてに重要な影響をもたらしている。その例を、私の処女作である『規律とトレーダー』から引用し、信念のさまざまな機能について解説してみたいと思う。

一九八七年春、「ゴッチャ・シカゴ（Gotcha Chicago）」という、地元のタレントたちが悪ふざけをし合うローカル局製作のテレビ番組を観ていた。その番組のひとコマでのことだ。テレビ局は男を雇い、「お金無料。本日限り」と書かれた看板を持たせ、ミシガン通り沿いの歩道に立たせた（シカゴに詳しくない人のために説明すると、ミシガン通りは多くの超高級有名デパートやブティックが軒を連ねている繁華街の一つだ）。テレビ局は大金をその男に持たせ、頼まれたらだれであれ、お金を渡すよう指示した。

ミシガン通りはシカゴのなかでも最も人通りの多い地区の一つである。道に立つその男の前を通りすぎた人がその看板を目にしたとき、どれくらいの人々が彼の申し出を理解し、お金をもらおうとしたか考えてみてほしい。実際のところ、通過してその看板を見た人のなかから立ち止まって尋ねてきたのは、「素晴らしい！　バスの乗り換えのために二五セントお願いできませんか？」と聞いてきた一人だけで、それ以外はだれもその男に近づこうとさえしなかったのである。

結局、その男は人々が自分の期待したように反応しないため欲求不満が募り、叫びだした。「お金が欲しくないの？　頼むから持っていってよ。さっさと済ませたいんだ」。しかし、だれも反応せず、その男が存在していないかのごとく、ただそばを通り過ぎていくだけであった。事実、数人は歩道をはみ出して歩いており、明らかにその男を避けているように見えた。スーツ姿でブリーフケースを持った紳士が近づいてきたとき、男は正面に立って聞いた。「お金はいかがですか？」。するとその紳士は「今日は結構」と答えた。かなり欲求不満がたまっていたのか、男は「いつまでこんな日があると思っているんですか。どうか持っていってくださいよ」と言い返して、その紳士にいくらかを持たせようとした。するとその紳士はにべもなく「結構です」と答え、その場を立ち去ってしまった。

ここでは何が起こっていたのか。なぜだれも（バスの乗り換えが必要だった人を除いて）お金をもらおうとはしなかったのだろうか。そこを通ったほとんどの人がその看板を目にしたのに、お金をもらおうとだれも何の努力もしなかったのだ。その行動に対する一つの可能性のある説明は「だれもまったくお金に関心がなかった」というものである。しかし、これは私たちの人生がどれほどお金の追求にささげられているか考えてみると、まったくあり得なさそうな話だ。

人々がその看板を目にしていて、またお金が大半の人にとって非常に重要であるとするならば、何が自分への援助を拒絶させるのだろうか。大半の人が「ぜひとも」と感じる（だれかが無条件でお金をくれるという）体験ができる環境だったのに、だれもが通り過ぎてしまった。用意されていたものは明らかだったのに、その可能性を認識できなかったに違いない。看板にはっきりと「お金無料。本日限り」と書いてあったのに信じ難いことである。しかし、大半の人に「タダのお金などない」という信念（どのように世界が動くかについてのエネルギー化した概念）があると気づけば、想像できないことではない。

では、タダのお金などないという信念と実在すると書いてある看板との明らかな矛盾を、どのようにして一致させているのだろうか。簡単だ。その看板を持っている男がおかしいと判断するだけだ。実際、タダのお金など存在しないという信念があるのに、そのような奇怪な行為をほかにどのように理解できるだろうか。その矛盾を解消する論理的プロセスは、例えばこのようなものだろう。「無条件でお金をくれるなんて滅多にない。そんなこと分かりきっている。

特に繁華街で知らない人からなんて絶対にあり得ない。事実、この男が本当にお金を渡そうとしているのならば、すでに多くの人が殺到していて、男は自分の命を危険にさらしてさえいるかもしれない。そうなっていないというのは、正気でないに違いない。この男からは距離をとらなくてはならない。何をしでかすか、知れたものではない」

注意してほしいのは、この思考過程のすべての要素が、「タダのお金など存在しない」という信念から成り立っている点である。

①「タダのお金」という言葉は、環境の観点から、意図しているように認識も解釈もされなかった。

②看板を持った男が正気でないに違いないと決めつけたことで、危機の予測が生じた。あるいは少なくとも用心が必要だという認識が生じた。

③その看板を持った男を避けるために意図的に別の進路を取るのは、その危機の予測と一致した行動である。

④結果について各人はどう感じたか。個人的に「各人」を知らずに発言するのは難しいが、一般論として適当なのは「正気でない男と遭遇するのをうまく避けられた」という解放感であろう。

矛盾を避けた結果の心理状態は、解放感である。自分の感じ方（自分の心と身体に流れているプラスまたはマイナスを帯びたエネルギーの相対的度合い）が常に絶対的真実であることを思い出してほしい。しかし、信念はある特定の心理状態になるように刺激はするが、その心理状態が環境のもたらす可能性に当てはまらない場合がある。

例えばこの状況では、矛盾からの解放感だけが可能性のある結果ではなかった。もし「タダのお金がある」と信じていれば、その経験がどのように異なったか想像してほしい。その過程は前述のシナリオと同じになるだろう。タダのお金など「存在しない」のは自明で問題にならないという信念を、タダのお金が「存在する」のは自明で問題にならないという信念に変えればよいだけの話なのだ。

その証拠が「素晴らしい、バスの乗り換えのために二五セントお願いできますか」と聞いてきた人である。このシーンを見たとき、おそらくこの人はホームレスで、だれにでも二五セントを恵んでもらおうとする人だろうという印象を受けた。ホームレスはタダのお金の存在をはっきりと信じている人である。したがってそのホームレスの看板の認識と解釈は、まさにテレビ局側が意図したものであった。そのホームレスの期待と行動は、タダのお金が存在するという信念と一致した。そしてその結果についてどう感じただろうか。二五セント硬貨が手に入ったのだから、満足感を得たのではないだろうか。もちろん、そのホームレスが知らないことがあった。もっと大金を得られたのだ。

このシナリオにはもう一つ考えられる展開がある。仮に「タダのお金など存在しない」と信じているが、その状況で「～だったらどうするか」という行動を取れる人がいたと考えてみよう。こうした人々は、可能性について非常に興味があり、好奇心があるため、「タダのお金など存在しない」という信念を一時停止しようと決め込む。この一時停止が、信念によって構築された境目の外で行動し、何が起こっているのか見られるようにするのである。そこでこの仮説を展開して、その看板を持った男を無視せずに、その男のところへ向かって行って「一〇ドルください」と聞いたとする。男は即座に自分のポケットから一〇ドルを出して渡す。そしてどうなるだろう。自分の信念とはまったく正反対の予期せぬ事態を経験して、どう感じるだろうか。

大半の人々はタダのお金など存在しないという信念を、（控えめに言えば）不愉快な状況を通して教えられる。最もありがちなのは、あまりにも高価なので買えないと言われるケースである。典型的な子供が「まったく自分を何様だと思っているの？　木にお金はならないのよ」という文句を何度聞かされることだろうか。換言すれば、それはマイナスを帯びた信念であろう。したがって、何のマイナスのコメントもなく無条件でお金が手渡された経験は、純粋に上機嫌の心理状態を築くであろう。

事実、非常に幸せなので、その幸福感とこの新発見を自分の知っているだれかと共有せざるを得ないと感じる人が多いのではないか。想像するに、そうした人が自分のオフィスや家に戻って、知っている人たちに会った瞬間、最初に飛び出てくる言葉は「今日、信じられないことが起きたよ」だろう。しかし、その話を信じてもらおうとどんなに必死になっても、その話を聞いた人たちはおそらく信じないだろう。なぜか。タダのお金などないという信念が原因となって、その話の正当性を否定的に解釈するからである。

この仮説をもう少し展開してみよう。さらにお金をもらえたのではないかと思い浮かんだとき、この人の心理状態がどうなるか想像してほしい。「もっとお金をもらえばよかったのに」という考えがふっと思い浮かんだ瞬間、あるいはその話を聞いた人が提案した瞬間、純然たる上機嫌の心理状態は、すぐに後悔や失望といったマイナスへと変化するだろう。なぜなら何かを逃した、あるいは十分に得られなかったという意味のマイナスを帯びた信念が引き出されたからだ。その結果、自分の得たもので幸せになる代わりに、得られたであろうものが得られなかったことを嘆くのである。

信念VS真実

仮定論を含めた三つの例では、だれもがその状況で独自の見解を経験している。聞かれれば、だれもが自分の観点や自分の経験があたかもその状況での現実的唯一の真実であり、確かな見解であるかのように述べるだろう。こうした三つの見解の矛盾は、解決しなければならないさらに大きな哲学的問題を提示している。認識したものと何かしら信じているものとを一致させるため、信念が物理的環境で生じた情報の知覚を阻むのであれば、どうして真実が何であるかと分かるのだろうか。

この疑問に答えるため、四つの考え方について分析しなければならない。

①環境は無限の組み合わせ方で、それ自体を表現できる。自然のフォースと人間が生み出したすべてのものを組み合わせ、さらに人々が多種多様な方法で自己表現して生じたフォースが加わった結果、現実の見解は膨大なものとなる。したがって、最も心の広い人でさえ間違いなく圧倒されるであろう。

②環境がそれ自体を表現するあらゆる可能性を認識できる能力を習得しないかぎり、私たち

の信念が常に、環境の観点から可能なものに対して限られた見解を示してしまい、結局自分の信念が現実に「ついて」の説明になってしまう。しかしこれは、必ずしも現実を最も正確に説明するものではない。

③この二つ目の考え方に同意したうえで、「信念が真実で、物理的現実を一〇〇%正確に反映しているとすれば、自分の期待は常に満たされているだろう」ということを考えてほしい。期待が常に満たされていれば、永久に満足した状態にいられるだろう。物理的現実がまさに自分の予期しているように常に現れ続けているとすれば、幸福・歓喜・上得意・至福以外の感情をどうして感じられるというのか。

④この三つ目の考え方が正当だと受け入れられるのであれば、そこから引き出せる結論もまた真実である。満足感を経験していないのであれば、環境の状態に対してあまりうまく機能しない（ひとつの、あるいは複数の）信念を用いているに違いないのだ。

これら四つの考え方を分析すると、今こそ「何が真実か？」という疑問に答えられる。答えは「どうにでもなる」だ。もし信念が認識したものにできるだけの制限を加えているのだとすれば、そして環境が無限の組み合わせでそれ自体を表現できるものであるとすれば、信念はいかなるときでも私たちが達成を試みているものに相対して真実となるしかない。つまり、信念に内在する真実の度合いは、「いかにそれらが有益か」ということで判断すればよいのである。

各人にはそれぞれ内から湧き出るフォース（好奇心、必要性、意欲、願望、目的、向上心）があり、物理的環境との相互影響を強制したり、その気にさせたりする。好奇心、必要性、意欲、願望、目的、向上心の対象を満たすためにとる各人の行動は、どんな環境や状況であれ、真実であると信じている信念の働き（機能）である。その真実が何であれ、以下のことを決めるであろう。

①環境の観点から可能なものを認識する可能性
②認識したものをどのように解釈するか
③下す判断
④結果への期待
⑤とる行動
⑥そして努力の結果についてどう感じるか

いかなるときでも達成を試みていることに対して、満足・幸福・至福の状態にあると分かっている場合、自分の真実（つまり自分が利用している信念）は有益であると言える。なぜなら前述のとおりのプロセスが働いたからである。認識したものが自分の目的と一致しただけではなく、環境の観点から可能になるものと一致していた。その結果、認識した情報の解釈は、環境や状況と調和した判断・期待・行動となった。つまり環境がもたらすもの（つまり私たち自身の心のなか）には、私たちが達成しようと試みていたことに悪影響となりそうな抵抗感や反抗のフォースはなかったのだ。その結果として、満足・幸福・至福の状態にいると分かるわけだ。

一方で、不満・失望・欲求不満・困惑・絶望・後悔・暗澹の状態にいると分かれば、環境や状況に対して用いている信念は、ほとんど役に立っていないか、まったく役に立っていない。したがって利用価値はない。このように信念には、いかなるときでも達成を試みていることに対して、どのようにでも働く機能がある。

第一〇章

信念がトレードに及ぼす影響

The Impact Of Beliefs On Trading

外部環境がそれ自体を無限の組み合わせで表現しているとすれば、経験の本質をとらえる信念の種類や数もまた無限にある。複雑な説明になってしまったが、要は学べることはたくさんあるのだ。しかし人間性の本質から普通に考えてみても、私たちがその説明と一致するような生活を送っているとは思えない。他人の信念を信じられるのであれば、なぜ日常的に論争や戦争が起きているのだろうか。逆に、なぜ学んだ信念を反映するように自分の人生を表現すると、問題になるときがあるのだろうか。

自分の信念の正当性を他人に確信させ、そして他人の正当性を否定しようとする冷酷さが私たちにはある。考えてみてほしい。個人・文化・社会・国家間の（ミクロのものからマクロのものまで、些細なものから最も意義あるものまで）ありとあらゆる矛盾が、常に信念の衝突から引き起こされている。では、信念のどのような性格がそれと異なる信念を受け入れようとしないのだろうか。事実、まったく受け入れられず、白黒つけようとお互いに殺し合う場面もあるほどだ。

信念は構造的なエネルギーであるだけではなく、意識できる、少なくともある程度は認知できるエネルギーであると思う。そうでなければ、どうして心の内側にあるものを外側から認識できるのか。またどうして自分の期待が満たされたと分かるのか。あるいはどうして満たされていないと分かるのか。どうして自分の信念を否定する情報や環境に直面していると分かるのか。私にできる唯一の説明は、個々の信念に、その信念を機能させる認知や自覚の質があるという論理だ。

エネルギーをある程度認知しているという考え方に納得できない人は多いかもしれない。しかし、その可能性を裏づけるような個人的・集団的本質が幾つかある。例えば、だれもが信用されたいと思っている。信念が何かは問題ではない。信用されるという経験が気持ち良いのだ。こうしたプラスの感情は普遍的なものだと思う。つまりだれにでも当てはまる。一方、信用されないことを好む人はいない。「あなたを信用していない」と言われると不快になる。こうした心と身体のいたるところで共鳴するようなマイナスの感情もまた普遍的である。そして同じ論理で、自分の信念に異議を唱えられるのを好む人はだれもいない。その異議を自分への攻撃ではないかと感じるだろう。信念が何であれ、だれもが同じように反応するのではないかと思う。そして典型的な反応は、反論や自分自身（自分の信念）の弁護、あるいは状況によっては逆襲である。

言葉で自分自身を表現するときは、人に聞いてもらうのを好むだろう。しかし聴衆が自分の話に注意を払っていないと察知したとき、どのように感じるか。面白くない！　この反応もまた普遍的であろう。一方、良い聞き手になるのは非常に難しい。なぜなら、良い聞き手になるためには、人の話を（上品であろうが無作法であろうが）遮るような自己表現の方法を考えずに、実際に話を聞かなくてはならないからだ。中断するまで人の話を聞ける力の裏にある強制的なフォースとは一体何であろうか。

似たような信念を持つ人と一緒にいることを好むのは、快適さや安心感があるからではないだろうか。また信念が異なる人や対立する人を避けるのは、不快さや、ときには脅威さえも感じるからではないだろうか。根底に潜む意味をとらえた瞬間、信念はまるで独立しているかのような性格を持ち、類似すれば魅力を、反対や矛盾であれば不快を認識する原因となる。異なる信念が無数に存在するのを考えてほしい。こうした魅力・安楽の感情と不快・脅威の感情が普遍的であるとすれば、それぞれの信念は、ともかくその存在を意識できるはずである。そしてこの認識した構造的エネルギーは、だれにも共通するような特徴的な作用をするに違いない。

信念の基本的性格

トレードに関する五つの根本的真実を心の環境に効果的に取り入れ、しかも機能させるために、理解しておくべき基本的な信念の性格が三つある。

①信念はまるで独立しているかのような性格を持つ。そして現在の形を変えようとするいかなるフォースにも抵抗する。
②すべての活動的信念が表現を求める。
③心の環境に存在することを意識的に認知するか否かにかかわらず、信念は機能し続ける。

1．信念は現在の形を変えようとするいかなるフォースにも抵抗する

たとえ強烈な圧力やフォースに直面したときでも信念がいかにその構造を完全に維持したか、その根底にある力学に気づかなかったとしても、人類の歴史を通して理解できるはずだ。ある

争点や動機に対する信念が非常に強力であれば、自分の信念に背いた自己表現よりも、屈辱や拷問や死に耐えるのを選んだ人たちが数多くいるではないか。これはいかに信念が強力なものとなり、わずかに変えさせたり背かせたりしようとしても抵抗できる強さがあることをはっきりと示している。

信念はある種のエネルギー（フォース）で構成されていて、それが現在の信念とは異なる形で存在するきっかけとなりそうなほかのフォースに自然と抵抗しているように思う。では、信念は変えられないというのだろうか。けっしてそうではない！　ただしどのように信念を処理するか理解する必要がある。一度形成された信念は破壊できない。つまり、どうやっても（単数であれ複数であれ）信念の存在をなくしたり、まったく存在していないかのごとく蒸発させたりはできないのだ。これは基本的物理法則から断言できる。アルバート・アインシュタインら科学者たちによると、エネルギーは発生も消滅もなく、ただ転換するだけだという。信念がエネルギー（その存在を認知できる構造的な意識のエネルギー）であるとすれば、この物理原則は信念にも当てはまるだろう。つまり信念自体は払拭しようにもできないのである。

ある人や何かが自分を破滅させようとしていると知れば、どのように反応するだろうか。自分を守り、反撃し、おそらくその脅威を知る以前の自分よりもさらに強くなるであろう。個々の信念は、自分がアイデンティティーだと考えているものの構成要素の一つである。したがって、もしある信念が脅かされれば、その反応の仕方は、どの信念でも同じであると考えるのが道理にあっていないだろうか。

理解が難しいからといって、信念を無視しようとしても結局は同じ原理が当てはまる。朝起きて、自分の知っている人が自分を無視し、まるで存在していないかのように振る舞ったら、どのように反応するだろうか。おそらくだれかを捕まえて、正面に立って自分の存在を認めさせようとするのに、そう時間はかからないだろう。また意図的に無視された場合でも、信念は同様に作用するだろう。プロセスや行動を通して、自分の存在を意識させようとする方法を探すはずだ。

信念を処理する最も簡単で最も効率的な方法は、エネルギーを抜き出して、そっと非活動的・非機能的な状態にしておくことである。私はこのプロセスを「非活性化」と呼んでいる。信念は非活性化しても、もともとの構造は損なわれずにいる。したがって建前としては何も変わっていない。しかしその信念には、もはやいかなるエネルギーも存在していない。そしてエネルギーなしには行動や情報の解釈にフォースとして作用する可能性がない。

個人的な経験を例に挙げて説明しよう。私は幼いころ、サンタクロースと歯の妖精を信じるように教えられた。どちらも今の私の心のシステムでは、完全な非活動的・非機能的信念である。しかし、たとえ非活動的であっても、私の心のシステムのなかにはまだ存在している。ただし今ではエネルギーのない概念として存在しているだけだ。第九章で「信念は、感覚的経験とエネルギーを蓄えた概念を形成する言葉との組み合わせである」と定義したのを思い出してほしい。つまり、概念のもともとの形をそっくりそのまま残しながら、そこからエネルギーを抜き出せるのだ。そしてもはやエネルギーのない概念が、行動や情報の解釈に作用する可能性はない。

したがって、今コンピューターに向かって原稿を書いている私のところにだれかがやってきて、「サンタクロースがドアのところにいたよ」と伝えた場合、この情報をどのように定義し解釈するだろうか。もちろん妄想か冗談として処理するであろう。しかし五歳のときの私に母親が「サンタクロースが玄関にいるよ」と言えば、彼女の言葉で大きなプラスエネルギーの貯蔵庫の栓がすぐさま開き、飛び上がってこれ以上はないといった勢いで玄関へとダッシュするだろう。何も自分を止めるものはない。行く手を阻むものがあれば、それを乗り越えようとするだろう。

ある時点で、両親はサンタクロースが存在しない事実を私に教えた。もちろん、私の最初の反応は不信であった。両親を信じられなかったし、信じたくもなかった。結局は両親の説得を受け入れたが、私を納得させたプロセスは、サンタクロースが存在するという信念を破壊しなかったし、もはや存在しないと主張する根拠とはならなかった。ただ信念からエネルギーを抜き出しただけなのだ。世界がどう回るか（サンタが存在する）という信念が、非機能的・非活動的な概念に変化してしまったのである。そのエネルギーがすべてどこへ行ってしまったのかは分からないが、その一部が「サンタクロースは存在しない」という信念に転換したことは分かっている。今、私の心のシステムには、存在の本質についての二つの相対する概念がある。一つは「サンタは存在する」であり、もう一つは「サンタは存在しない」だ。その相違点は両者が含むエネルギーの量にある。前者にはほとんどエネルギーがないが後者にはある。したがって機能するという意味では、何の矛盾も対立もないのだ。

すべての信念が、現在の形を変えようとするいかなるフォースにも抵抗するだろう。しかし一つの信念を非活動的にできるのであれば、実際はどのような信念も非活性化できると私は主張したい。では信念を効率的に転換する秘訣は何か。それは「理解」だ。信念そのものを変えるのではなく、自分の願望の実現や目標達成に役立ちそうな、より有益な別の概念を探し出し、エネルギーを旧来の概念からその新しい概念へと転換させるだけなのだ。

2．すべての活動的信念が表現を求める

信念は基本的に二種類に分けられる。活動的信念と非活動的信念だ。両者の区別は簡単である。活動的信念にはエネルギーがある。つまり、解釈や行動にフォースとして作用するだけの

エネルギーが存在する。非活動的信念はまったくその逆だ。理由が何であれ、エネルギーがまったくないか、あるいは情報の解釈や自己表現の方法にフォースとして作用するだけのエネルギーがもはや残っていない。

すべての活動的信念が表現を求めているとは言っても、心の環境にあるすべての信念が同時にその表現を求めているわけではない。例えば「現代社会で何が間違っているか考えてほしい」と聞かれたら、その「間違っている」という言葉から、個人的に心配や不安を感じている事柄に関連した世界の本質についての見解が思い浮かぶであろう。しかしその疑問が投げかけられる前に違う事柄を考えていたとしたら、それまでそうした見解について必ずしも考えていなかったはずだ。ところが聞かれた瞬間、こうした問題についての信念が意識的思考プロセスの先頭へととっさに移動したのである。要するに、疑問が投げかけられるのを求めていたのだ。

したがって、信念は表現されることを「求めている」と言える。何かをきっかけに自分の信念が引き出されると、まるでその解放されたエネルギーの洪水を止められないかのようになる。特にこれは感情的に敏感な問題や、激しい情熱を持っている信念で真実となる。そこでふと疑問に思うかもしれない。「しかし、自分の信念の表現を抑えようとするときがあるではないか？」。幾つかの理由があるだろう。例えば、仕事上での上司との関係を考えてほしい。その上司は自分にはまったく同意できない、完璧に道理に反しているとさえ思うような発言をしている。そこで自分は真実を表現するだろうか、それとも抑えるだろうか。それはそのような状況で適切だと思い込んでいる信念によるだろう。「自由な意見表明は不適当だ」と命じる信念が対立する信念に比べてエネルギーを持つ場合、おそらく自分を抑えつけてしまい、率直には反論しないであろう。

その上司を見つめ、うなずいて同意するかもしれない。しかし自分の心のなかはどうだろうか。より端的に言えば、自分の心は平穏なままだろうか。絶対にそんなことはない！　この問題に関しての自分の立場は、どの点においても上司の考え方とはっきりと対立している。つまり、自分の信念はいまだに表現を求めているのである。しかし（その環境で）外部には表現されていない。なぜならほかの信念が対抗するフォースとして作用しているからである。とはいえ、すぐに表現する方法を見つけるだろう。おそらくその状況の外に出た瞬間、「表明」する方法や、さらには自分の側に立った人に自分の反感をぶちまける方法さえ見つけるだろう。おそらく同情的に耳を貸してくれそうな人に、我慢しなければならなかった思いを語るであろう。これは外部環境で矛盾に会ったとき、信念がどのように表現を要求するかの例である。

しかし信念が、意図・目的・夢・意欲・願望と矛盾したとき何が起こるか。そうした矛盾に込められた意味は、私たちのトレードに深い影響を及ぼす可能性がある。前述のとおり、信念は外部環境がそれ自体をどのように表現できるかを区別する。区別とは境目という意味だ。一方、人間の意識は、信じるように教え込まれたすべての事柄の合計よりも広いと言える。この人間の「より広い」意識の質が、信念が決めている境目の内側あるいは外側で（自分が選んだ方向で）考える能力をもたらすわけだ。信念の境界の外側での思考は、創造的思考として一般的にみなされている。信念への懐疑（知っていることへの疑い）を意図的に選び、そして心底その解答を願うようになれば、結果的に自分の心はその問題の「聡明な見解」「名案」「解決策」を受け入れられるようになる。

創造とは、以前は存在していなかったものを作りだすという意味である。自分の心を創造的思考モードにしたとき、すでに自分の論理的心理のなかにある信念や記憶の外側にある見解や思想を（もちろん、自動的に）受け入れられる。私が知るかぎり、芸術家、発明家、宗教団体、科学者団体の間では、創造的な情報がまさにどこから生まれるのかに関して意見が一致していないが、少なくとも創造性は無限で、境目がないことは、はっきりと分かる。

思考法に何かしらの制限があれば、新しい思考は間違いなく生まれない。しかし過去五〇年間の驚異的なペースでのテクノロジーの発達を考えてほしい。人類を進化させたあらゆる発明や発達が、信じるように教え込まれた信念が指し示す境目の外側で進んで考えようとした人々の心のなかで生まれたのだ。

もしだれもが創造的に思考する能力をもともと持っているとすれば（そして私はそうだと確

信じているが)、「創造的経験」と私が呼ぶ経験にも遭遇する可能性がある。私は創造的経験を新しい経験・信念が指し示す境目の外側での経験と定義している。環境の観点から見れば常にそこにあるが、今まではけっして見えていなかった新しい視界である。あるいは新しい音、新しいにおい、新しい味、新しい触感の経験かもしれない。創造的経験には、例えば創造的思想・名案・予感・卓見があり、突如思いつく可能性もあるし、意識的な方向性の結果生まれる可能性もある。どちらにせよ、そうした経験から大きな心理的ジレンマに直面する可能性がある。そしてその形態が思想であれ実体験であれ、創造的経験を通して、旧来の信念と直接対立した新しい信念に魅了され、それを願う可能性がある。

この点を具体的に解説するため、男の子と犬の話を思い出してもらいたい。この男の子は何度か犬によって苦痛を経験していた。最初の体験は環境の観点から本物であった。しかしその他は、(連想と苦痛回避のメカニズムの作動に基づいて)この子の心がどのように情報を処理したかの結果であった。最終的結果は、犬に遭遇するたびに恐怖を経験するというものである。彼が最初にマイナスの体験をしたとき、まだ一~二歳児であったとしよう。そして成長して自分の記憶から具体的な言葉と概念を連想し始めると、犬の本質についての信念を形成する。この子が「すべての犬が危険である」といった信念を取り入れたと考えてもおかしくはないだろう。

この「すべて」という言葉の使用で、彼の信念は、すべての犬を避けなければならないと構造化されている。彼にはその信念を疑う理由がない。なぜなら、すべての経験がその正当性を確証し、強固にしているからである。しかし彼が（そして私たちだれもが）創造的経験をする可能性は高い。例えば、通常の環境下では、彼は犬と絶対に会わずに済むように、あらゆる手段を取るだろうが、予測もつかない偶然が生じた場合はどうだろうか。

この子が両親と散歩していて、保護されているという安心感があったとしよう。そしてその先で何が起こっているか分からない見通しの悪い角を抜けると、彼と同じぐらいの歳の数人の子供たちが数匹の犬たちと遊んでいる光景に出くわしたとする。子供たちが非常に楽しそうなのは明らかであった。これが創造的経験だ。それまでの犬の本質についての信念が真実ではないという、はっきりした情報に直面しているからだ。では、そこで何が起こるのか。

まず、その経験はこの子の意識の方向にあるものではなかった。つまり自分の信念を否定するような情報に、意識的に自分をさらそうとは考えていなかった。しかし外部環境によって自分が信じようとしなかったほかの可能性に直面してしまったのである。私はこれを不測の創造的経験と呼んでいる。犬と遊んでいても何の危害も加えられていない子供たちを見た経験から、彼の心は混乱するだろう。そしてその混乱がおさまった後、すべての犬が危険ではないという可能性を理解し、幾つかのシナリオがあるのだという可能性を受け入れ始めるのである。

自分と同じ（だと、はっきりと判断できる）年の子供たちが、非常に楽しそうに犬たちと遊んでいた光景は、ほかの子供のように自分も犬と遊びたいと考えるきっかけとなるかもしれない。その場合、この不測の創造的遭遇をきっかけに、かつて信じていなかった犬との関係が実は可能であると表現したくなっていると言える。かつてはその観念はまずあり得ないと信じ込んでいて、それを考えようとさえ思わなかったのに、今では考えるだけではなく、それを願っているのである。

では、この男の子は自分の願望と一致するように自分を表現できるだろうか。これはエネルギー力学の問題となる。心のなかには直に対立する二つのフォースがある。つまり「すべての犬が危険である」という信念と、ほかの子供たちのように遊びたいという願望が、表現を競い合っているのだ。次に犬に会ったときに信念を取るか願望を取るかは、よりエネルギーのあるほうで判断されるだろう。

「すべての犬が危険である」という信念に強烈なエネルギーがあれば、信念には願望よりもエネルギーがあると考えられる。その場合、次に犬に会ったとき、男の子にはかなりの欲求不満がたまるだろう。なぜなら犬に触ってかわいがりたいのに、自分の信念にある「すべて」という言葉がほかを無力化させるフォースとして作用したため、願望の実現を防いでしまい、どうやっても実際に関係が持てないからだ。自分がかわいがりたい犬は危険ではなく、危害を加えないという事実を十分承知していても、エネルギーのバランスが自分の願望のほうに傾くまで、実際に触ってかわいがれないのである。

本心から犬と関係を持ちたいのであれば、恐怖を乗り越える必要がある。つまり、すべての犬が危険であるという信念を非活性化させなければならない。そこでまず、自分の願望とより一致している（犬についての）信念を適切に取り入れる必要がある。犬は愛らしくおとなしいものから、意地悪で怒りっぽいものまで、さまざまな方法で表現する可能性がある。しかし意地悪で怒りっぽい部類に入る犬は、割合的にかなり小さい。この子にとって取り入れるに適した信念は「たいていの犬は友好的だが、意地悪で怒りっぽい犬もいる」というものであろう。この信念から、どのような犬とは遊べそうで、どのような犬は避けたほうがよいか教えてくれる、犬の性格と行動パターンを認識する方法を学べるようになるわけだ。

しかしより重大な問題は、「すべての犬が危険である」という信念にある「すべて」をどのようにして非活性化し、恐怖を乗り越えられるかである。忘れないでほしいが、あらゆる信念が現在の形を変えようとするいかなるフォースにも自然と抵抗する。前述のとおり、適切なアプローチとは、信念を変えようとするのではなく、そこからエネルギーを抜き出し、その抜き出したエネルギーを自分の目的により適した別の信念に転換するやり方である。そして「すべて」という言葉が表現する概念を非活性化するためには、この子は犬とのプラスの経験を実際に築く必要がある。つまり、恐怖を乗り越えて犬に触る必要があるのだ。

そのために、この子は膨大な時間と大変な努力を必要とするかもしれない。その過程の初期段階では、犬についての新しい認識の強度は、少し距離を持って逃げずに犬と向かい合える程度であろう。しかし距離を取ったにせよ、マイナスの結果とならない犬との出合いを重ねれば、「すべての犬が危険である」という信念からマイナスのエネルギーをどんどん抜き出せる。そして自分と犬とのギャップを徐々に埋められるようになり、ある時点では実際に触れるようになる。エネルギー力学の観点から言えば、そうしようとする願望のエネルギーが、すべての犬が危険であるという信念のエネルギーより少しでも強くなれば、犬に触れるようになるだろう。そして犬に実際に触った瞬間、「すべて」という概念に残っているマイナスエネルギーはほとんど払拭され、新しい経験に関係する信念へと移動するだろう。

おそらくそれは一般的ではないかもしれないが、上述の過程に類似した経験をするため、さまざまな理由から意図的にそれだけの意欲をかきたてている人たちはいる。しかし、必ずしもそこにある力学に意識的に気づいているわけではない。子供時代のこうした強烈な恐怖を解決している人たちは、(有能な専門家を探し、その助けを借りないかぎり)自分がどうしてそうしているかはっきり分からずに、かなりの年月をかけて、試行錯誤を繰り返すのが普通だ。その後、大人になって自分の過去を思い出すような状況を聞かれたり、偶然出会ったりした(例えば犬におびえている子供を見た）場合、自分がたどった過程を「犬を恐れていたのを覚えているが、そこから脱したのだ」と位置づけるようになるのが普通だろう。

この一つ目のシナリオの結果は、男の子が犬の本質を制限している信念を非活性化して、恐怖を脱するというものであった。彼は楽しいものを見つけ、そしてそうでないものは不可能とするように自分を表現できた。

二つ目のシナリオは、この子が不測の創造的経験をしても、犬と遊ぶ可能性に魅力を感じなかった場合である。つまりほかの子供たちのようになることや、犬との関係に、あまり関心がなかった場合だ。この場合、すべての犬が危険であるという信念と、すべての犬が危険ではないという新しい認識が矛盾する概念として心の環境に存在するだろう。これは活動的矛盾と私が呼んでいるものの例であり、二つの活動的信念が両方とも表現を求め、直に対立している状態だ。この例では、最初の信念が男の子の心の環境の中核に存在しているが、新しい信念はより表層的なところにあり、そこにあるプラスのエネルギーは非常に少ない。

この状況下の力学は非常に興味深く、非常に重要である。これまで述べたとおり、信念が情報の認識を支配する。通常の状況下では、犬と関係を持つ可能性を自覚できないままであっただろう。しかしほかの子供たちが犬たちと遊んでいるのを見た経験は、彼の心の環境に「すべての犬が危険なわけではない。友好的な犬もいるのだ」というプラスを帯びた概念を築いた。

しかし「すべての犬が危険である」という信念にある「すべて」を非活性化させる努力はまったくしていない。そして私が知るかぎり、信念そのものに非活性化する能力はない。つまり生まれた瞬間から死ぬ瞬間まで、意識的に非活性化させる過程を経ないかぎり、信念はエネルギーを蓄えたまま心の環境に存在するのである。しかしこのシナリオでは、男の子には願望がないため、恐怖心を取り除こうとする動機がない。

結局、「すべての犬が危険ではない」というごく微量のエネルギーを帯びた信念が、犬と遊べる可能性を認知する能力をもたらしても、「すべての犬が危険である」という強力なエネルギーを帯びた信念が犬と遭遇するたびに依然としてある程度の恐怖体験を引き起こしている。そのため、この男の子は活動的矛盾を抱いてしまっているのだ（逃げ出したくなるほどの恐怖ではないだろう。なぜなら、その恐怖のいくらかはほかの信念で相殺されていると考えられるからである。ただし、かなりの不快感をもたらすだけの恐怖感は確かにある）。

危険ではないという状況が「見える」、したがって知る能力はある。しかし同時に恐怖で自分が固まっているのも分かっている。創造的思考から発見したからといって、あるいは不測の創造的経験から気づいたからといって、必ずしもそれだけで心の環境で優勢なフォースとなるだけのエネルギーがあるわけではないのだ。この点が理解できないと、こうした認知能力に戸惑うばかりであろう。換言すれば、たしかに新しい認知や発見には、情報認識のフォースとして作用できるだけのエネルギーがある。したがって、可能性が認識できないわけではない。しかし実際に行動させるフォースとして作用するだけのエネルギーがあるとはかぎらないのだ（蛇足ながら、「認識よりも表現や行動のほうがより多くのエネルギーを必要とする」という前提を用いている）。

新しい認知と発見は、それと矛盾する信念が自分の内部になければ、即座に難なく優勢なフォースとなる。しかしすでに矛盾する信念がある場合、この対立するフォース（特にマイナスを帯びたもの）を非活性化させるため、何かしらの努力を費やさなければならない。そうでなければ、自分が新しく発見したもので行動しようとしても、少なくとも苦労するはずだし、まったくできない可能性もある。

今述べた問題は、ほとんどすべてのトレーダーが解決しなければならない心理的ジレンマである。確率の本質をしっかりとらえた結果、次のトレードは確率的結果を持つ一連のトレードのなかの単なるもう一つのトレードにすぎないと「知って」いる。ところが依然として次のトレードの実行を恐れているのが分かる。そうなると前述のとおり、幾つかの恐怖心が原因となったミスの影響を受けやすくなる。思い出してほしい。恐怖の根本的原因はマーケット情報を脅威として定義し解釈してしまう可能性にある。では、マーケット情報を脅威として定義し解釈してしまう可能性の根源は何か。期待だ！　マーケットが期待外れの情報を発しているとき、陰線・陽線が脅威の質（マイナスのエネルギー）を帯びているように見えてしまう。その結果、恐怖、ストレス、不安を経験する。では期待の根本的根源とは何か。それは私たちの信念である。

信念の本質についての理解を頭に入れてもなお、依然としてトレード時にマイナスの心理状態を経験しているとすれば、確率的結果について「知って」いることと、心の環境でほかのことを訴えている（表現を求めている）多くのほかの信念との間に、矛盾が生じていると考えられる。たとえ望んでいなくても、すべての活動的信念が表現を求めているのだと心に留めておいてほしい。トレードでは確率で考えるため、マーケットのどの瞬間も唯一のものであると確信しなければならない。もっとはっきり言おう。優位性が生む結果はすべて唯一のものなのだ。

機能的レベルで、優位性が生む結果はすべて唯一のものであると信じているとき（つまりその信念が、異なる訴えをしているほかのどんな信念よりも優勢であるとき）、トレード時の恐怖、ストレス、不安から解放された心理状態を経験しているはずだ。実際のところ、これ以外には考えられない。結果は唯一であるのだから、次のトレードの結果は過去に経験している結果ではない。つまり、すでに知っている結果はない。裏を返せば、すでに知っている結果は、唯一の結果として定義できないのだ。次に何が起こり得るか分からないと信じているのならば、マーケットからは具体的に何が予測できるだろうか。「分からない」と答えられれば、大正解である。何かが起こるだろうが、その何かは必ずしも具体的には利益であるわけではないと信じていれば、脅威や苦痛としてマーケット情報を定義し解釈する可能性がどこにあるだろうか。「どこにもない」と答えられれば、これもまた大正解である。

信念が表現をどのように求めるのか、もう一つの例を出そう。初めての犬との出合いが非常にプラスの経験であった状況を考えてみてほしい。その結果、どんな犬とでもまったく問題なく関係が持てる。なぜなら非友好的な犬に出合っていないからである。したがって、犬が自分に危害を負わせて、苦痛を経験させる可能性があるという概念（エネルギーが蓄えられた信念）はない。

そして言葉から記憶を連想する過程を学ぶと、「すべての犬が友好的で楽しい」という信念を習得するであろう。したがって、いつでも犬が自分の認識の範囲に入ってきたら、この信念が表現を求めるようになる。それは犬にマイナスの経験を持つ人の観点からは、向こう見ずな態度のように見えるかもしれない。しかし「用心の仕方を覚えていないと、いつの日かかまれてしまうよ」と説得しても、その子の信念はその助言を割り引いて考えるか、まったく無視するのが関の山である。彼の反応は「まさか！」とか「そんなこと僕にはないよ」といったものになるであろう。

それではある時点で、その子が非友好的で人にかまわれるのを嫌う犬に近づいてしまったとする。犬はうなり声を上げる。そしてその警告が無視されたとみて、その男の子を襲う。彼の信念のシステムにしてみれば、まさに創造的経験であった。では、この経験が「すべての犬が友好的である」という信念に、どのような影響をもたらしたであろうか。最初の例の子供のようにすべての犬を恐れるようになるだろうか。

残念ながら、この問いに対する解答は単純ではない。なぜなら、このとき彼が犬に対して抱いた信念とはまったく関係のない信念が働き始め、その関係ない信念によって彼が行動するかもしれないからだ。例えば、その子の信念に大きな影響を与えたのが「裏切り」であったらどうだろうか（重要な人に裏切られ、重大な状況で重度の精神的苦痛を体験させられたという確信がすでにある）。ここでこの犬の攻撃を一般的な犬による「裏切り」（つまり、犬への信念の裏切り）と思えば、従来の信念に含まれていたプラスのエネルギーがすべて抜け出て、マイナスのエネルギーへと転換してしまうかもしれない。男の子はこの転換を「この犬が自分を裏切ったとすれば、ほかの犬でもその可能性がある」という理由を付けて正当化するだろう。

しかしこれは過激で、あまりあり得そうにもないシナリオだと思う。よりありがちなのは、彼の信念のなかにあった「すべて」という言葉が即座に非活性化し、そのエネルギーが犬の本質をより正しく反映する新しい信念へと転換するシナリオであろう。この新しい経験が原因となってエネルギーは転換し、それまでその可能性について考えることを拒否していた犬の本質についての何かを学ばせたのである。犬との友情に対する信念はそのまま残っている。これからも犬と一緒に遊ぶだろうが、友情と敵意の兆候を意識的に探し出す判断力を鍛えるようになる。

日常生活だけでなくマーケットのなかにも常に、自分が知っている要素（類似したもの）と、まだ経験していないので知らない（あるいは分からない）要素がある。それが私たちの存在（世界）の本質についての根本的真実である。結果の唯一性を予想するように自分の心を積極的に鍛えていなければ、知っていることだけを期待し続けるだろう。そしてその他のこと（知っていることや期待していることと一致しないほかの情報と可能性）に対する行為は、見逃し・見落とし・過小評価・曲解・全否定・攻撃である。本当に知る必要がないと信じて初めて、確率（マーケットの観点）で考えられるようになる。そうすれば、ある特定の方向に動く可能性についてマーケットが提供している情報を阻止・過小評価・曲解・全否定・攻撃するような理由はない。

ここで説明された質を持った心の自由を経験していないとすれば、そしてそれを望んでいるとすれば、積極的に瞬間の唯一性を信じる心を鍛える行動をすべきだ。そしてそれとは違う主張をするほかのどのような信念も非活性化しようとするはずだ。この過程は最初のシナリオの男の子が経験した過程と何ら違いはない。ただし、偶然に起こることではなく、意識的にする必要がある。恐怖感なく犬（マーケット）と関係を持ちたいのならば、新しい信念を作り出し、それに矛盾する信念を非活性化しなければならない。これはトレーダーとして一貫した成功を達成する秘訣である。

3．心の環境に存在することを意識的に認知するか否かにかかわらず、信念は機能し続ける

つまり、ある特定の信念を積極的に思い出したり、その信念に意識的にアクセスしたりして、情報の認識や行動へのフォースとして作用させる必要はない。思い出せない信念が、依然として自分の人生に影響を与えていると「信じる」のは難しいと思う。しかし実際のところ、自分の人生を通して学んだ多くの信念が、無意識あるいは潜在意識のレベルで蓄えられているのだ。

例えば「自動車を運転するために必ず履修しなければならない特殊技術をそれぞれ思い出しなさい」と聞かれても、教習を受けているときに集中や注意の必要があると教わった事柄をすべて思い出せる自信があるだろうか。私が初めて運転方法を一〇代の人に教える機会があったとき、どれだけ学ぶ技術があり、どれだけその過程が当たり前で、意識的レベルでもはや考えていなかったかを知って、本当に驚いた経験がある。

この性格をうまく解説している例が、酒に酔って運転する人々であろう。昼夜にかかわらず、おそらく数千の人々が、意識がなくなるまでかなり酔っ払ってしまっても、A地点からB地点

までの運転方法を意識的に考えないで運転している。運転技術と運転能力への信念が、覚醒意識よりも非常に深いレベルで自動的に働いていると考えないかぎり、どうしてこれが可能なのか説明がつかない。

たしかに飲酒運転者の何割かは事故に遭う。しかし事故率と飲酒運転者の推定人数を比較してみると、あまりに事故が少ないのは驚くべき事実である。そして飲酒運転者が最も事故にあいやすい状況は、眠気を催してしまったときや、何かしら意識的な判断やとっさの反応を必要としたときである。つまり、潜在意識での技術では十分に対応できない状況である。

自己評価とトレード

この性格をトレードにどのように当てはめるのかもまた非常に難しい。トレード環境は、無制限に富の蓄積の機会を提供する闘技場だ。しかしただ金儲けができて収益を残しているという認識だけでは、必ずしも自分が（個人的に）際限なく自己をプラス評価できる感覚があるという意味にはならない。つまり自分が欲する金額と、実際に得た収益、そして自分がどれだけの報いを受ける価値がある人間であると信じているかには、それぞれ大きなギャップがあるのだ。

だれにでも自己評価の感覚がある。この感覚を最もうまく解明できるのは、自分の成功と繁栄をさらにもっと上のレベルにまで蓄積・確立しようとする試みを支える（あるいは妨げる）可能性があるすべての活動的信念（意識にあるものも潜在意識にあるものも）をリストにする方法である。そしてプラスを帯びた信念にあるエネルギーと、マイナスを帯びた信念にあるエネルギーを比較する。成功と繁栄を支援するプラスエネルギーがそれらに抵抗するマイナスエネルギーよりも大きければ、プラスの自己評価の感覚を持っていると言える。その反対であれば、マイナスの自己評価の感覚である。

こうした信念が実際にお互いにどのように関係するかという力学は、口で言うほど簡単なものではない。事実、非常に複雑なので、組織分類のために何年もかかる高度な心的作業が必要となるだろう。留意してほしいのは、どのような社会環境で成長したとしても、成功や大金の蓄積に抵抗感を感じてしまうマイナスの信念を身に着けずにはいられない点だ。こうした自己を破壊する信念のほとんどが長く忘れられたままで、潜在意識のレベルで働いている。しかし忘れているからといって、それが非活性化されているわけではない。

どうして自己破壊の信念を習得してしまうのだろうか。残念ながらそれは非常に簡単である。おそらく最も典型的な例は、親や教師がやらせたくないと思っていた活動にかかわっていた子供がその活動で偶然ケガをしてしまったときである。たいていの両親は子供に分かってもらおうと、こう言ってこのような状況に対処しようとするだろう。「そんなことするからこうなる（何かしらの苦痛を経験する）んでしょ」「人の言うことを聞かないからこうなるんだ。天罰だよ」。このような説明をされたり聞いたりすると、その子供は将来ケガをするたびに同じ説明を連想し、「自分は価値のない、成功や幸福や愛を受けるに値しない人間に違いない」という信念を形成してしまう可能性がある。

罪悪感は自尊心に悪影響を及ぼす可能性がある。実際、罪は悪であると連想するのが普通だ。そして大半の人たちは、悪人は罰せられ、絶対に報われないと信じている。ある宗教では、大金の所有は信仰や精神に良くないと子供たちに教えている。ある人々はある方法で金儲けをするのは、たとえそれが社会的観点から完璧に合法で人の道を踏み外していなくても間違っているると信じている。繰り返す。「自分は成功できない」と教えられた特定の記憶はないかもしれない。しかしそれは自分が学習したことがもはや効力を持たなくなっている、という意味ではないのだ。

トレードではこうした自己破滅の信念が、常に集中力や注意力の散漫といった形で明確になる。その結果、例えば買いと売りの注文ミスや、余計なことを考えて取引から離れ、戻ってきたらその日の絶好の売買機会を逃して後の祭りだったといった、数多くのミスを犯してしまう。さまざまなレベルで一貫した成功を収めてきた多くのトレーダーの相談に乗ってきたが、彼らはある収益の壁を突破できないでいた。この障壁は多くの女性管理職が企業社会で経験している俗に言う「ガラスの天井（目に見えない出世の障壁）」とよく似ている。

彼らは障壁にぶち当たるたびに、マーケットの状況にかかわらず大きなドローダウンを経験している。しかし、何が起こったのかと聞かれると、突然ツキが悪くなったのだと単にツキのせいにしたり、マーケットの気まぐれのせいにしたりするのがオチだ。興味深いことに、ときには数カ月にわたって堅調な右肩上がりの損益曲線を描いていても、ある地点に達すると常に深刻なドローダウンが発生しているのだ。この心理的現象を「ネガティブゾーン」と呼んでいる。「ゾーン」状態のトレーダーの口座に不思議なほど資金が流れ込んでいるのと同じように、「ネガティブゾーン」状態のトレーダーの口座からは、たやすく資金が流出している。自己評価の問題が未解決であるため、そのことが情報や行動の認識に神秘的に作用しているのだ。

前向きなプラスの自己評価の感覚の育成に抵抗しそうな信念を、すべて非活性化しなければならないというわけではない。なぜならその必要はないからだ。しかしそのような信念の存在に気がつかなければならない。そしてそうした信念が表現をし始めたときに、それを修正するための特別な治療プロセスを取る必要がある。

第一二章

トレーダー的思考法

Thinking Like A Trader

トレードを最も簡単な形で説明せよと聞かれたら、パターン認識の数字ゲームだと答えるだろう。マーケット分析でパターンを判断し、リスクを明確にし、利食いのタイミングを決定する。トレードには成功もあれば失敗もあり、どちらにせよ次のトレードを執行する。やることは単純だが、けっしてやさしくはない。事実、トレードは今までで最も成功の難しい試みであろう。知性が必要だからではない。そのまったく逆だ！　自分が知っていると考えるほど、成功できなくなるのである。たとえ自分の分析が「完璧」に正しかったケースが過去に何度あったとしても、知らない状態でトレードを実行しなければならない。だから難しいのだ。知らない状態でトレードを実行するために、自分の期待を適切に管理しなければならない。そして自分の期待を適切に管理するために、五つの根本的真実を一点の曇りもなく信じるように、心の環境を再構成しなければならない。

本章では、これらのマーケットに関する真実を心の環境に取り入れ、機能させるための演習方法を提供しようと思う。この実践を通して、トレーダーは次の三段階の発達過程を経るだろう。

第一段階は「機械的」段階だ。この段階では、

①際限のない環境で行動するために必要な自己信頼を築く
②売買システムの完璧な執行を学ぶ
③確率（五つの根本的真実）で考えるように心を鍛える
④トレーダーとしての一貫性に対して強くゆるぎない信念を確立する

この第一段階を達成すれば、次の主観的段階へと進める。この主観的段階では、マーケット動向の本質について今まで学んできたことを利用して、自分のしたいことが何でもできる。この段階では多くの自由があるのだ。したがって、（第一〇章で言及したように、自己評価が未

解決のために生じる）ミスを犯す可能性を監視する方法を習得しておかなければならない。

第三段階は直感的段階である。直感的売買は最もトレーダーとして進化した段階だ。格闘技で黒帯を取得したのと同等の価値がある。ただしその違いは、なろうとしてもなれるものではないという点だ。なぜなら直感は自然発生的なものであり、論理的レベルで知っていることから生じるものではないからだ。心の論理的部分は、論理的に理解できないところから受け取った情報を本質的に信用できない。まさに何かが起こりそうだという感覚は知ることの一形態であるが、それは理性的に知っていることとはかなり違う。私は多くのトレーダーと仕事をしてきたが、往々にして彼らには「次にこうなりそうだ」という非常に強い直感があった。しかし結局は、徹底的にもう一方向への行動を主張している理性的な部分に直面して悩んでいた。もちろん自分の直感に従っていれば、非常に満足のいく結果を体験していただろう。ところが実際は、常にかなり不満足な結果で終わってしまっていた。特に収益の可能性と実際の成績を比べると、さらに不満を感じていた。私が唯一知っている直感的になろうとする方法は、自分の直感的衝撃を最も効果的に察知し反応できると考えられる心理状態を設定することである。

機械的段階

トレードの機械的段階は、特に売買技術を築くために設計されている。売買技術には信頼、自信、確率的思考があり、一貫した結果を確立する。一貫した結果とは「優位性が働かないときの当然の結果であるドローダウンを最小限に抑えた、安定した右肩上がりの損益曲線」と定義している。

安定した右肩上がりの損益曲線の達成は、勝算を高めるパターンの発見だけではなく、本書で一貫して主張してきたように、必然的にミスを犯す原因となる恐怖、自己陶酔、マイナスの自己評価といった、すべての感情を系統的に排除した結果である。ミスの排除と自己評価の感覚の発展的育成には、本質的にすべての心理面での技術の習得が必要である。

技術が心理的になるのは、信頼、自信、確率的思考が純粋な形でまさに信念となるからである。忘れないでもらいたいが、心理状態を決定するのは自分が用いている信念である。信念は常に経験を通して、それが持つ真実をさらに確信する。そしてある信念が（環境の状況に関連して）どれだけ真実かは、どれだけ優れた役割を果たすか、つまりその信念が目標達成にどれだけ貢献するかの度合いにかかっている。一貫した結果を残すことがトレードの第一目標であれば、「私は一貫して成功するトレーダーである」という信念（変化に抵抗し、表現を求める意識的にエネルギー化された概念）を確立すればよい。この信念がエネルギーの主要源としての役割を果たし、その信念を満たすように認識・解釈・期待・行動を管理し、結果的に目的を達成するのである。

「私は一貫して成功するトレーダーである」という信念を優勢なものとするためには、一貫した成功の原理への執着が必要となる。幾つかの原理は、トレードについてすでに学んでいる幾つかの信念と、間違いなく対立する。もし実際にそうであれば、その状況は願望と信念が直接対立している典型的な例である。

ここでのエネルギー力学は、「犬と一緒に遊ぶのを恐れなかった子供たちのようになりたい」と願った男の子に起こった力学と何ら違いはない。この子は、少なくとも初めのころはほとんど不可能だと思っていたことを表現したいと望んだ。そして願望を満たすため、エネルギー転換のプロセスに足を踏み入れなければならなかった。転換させるテクニックは簡単だ。つまり自分が達成しようと試みている目標に常に集中できるように、一生懸命に努力したのである。そして少しずつ、対立する信念を非活性化し、自分の願望に一致した信念を強化したのだ。

一貫した勝利者が自分の願望だとすれば、ある時点でエネルギー転換の過程に進まなければならない。転換させるときに最も大切なポイントは、変わろうとする意思、はっきりとした意図、強い願望である。そして最終的にこの過程を成功させるためには、実際のトレードに対するほかのすべての理由や正当性よりも、一貫性を選ばなければならない。これらの要素のすべてが十分に備われれば、直面した心理的障壁が何であれ、結局は願望が打ち勝つであろう。

自己観察

一貫性を構築するプロセスの第一歩は、自分の思想・発言・行動に注目することから始まる。それはなぜか。トレーダーとしての思考・発言・行動のすべてが、心のシステムにある信念に寄与し、したがってその信念を増強するからである。一貫性構築のプロセスは本質的に心理的なものであるので、幾つかの心理的プロセスへの注目から始めなければならないのは、別に驚くほどのことではない。

考え方としてはつまるところ、自分自身の思想、発言、行為を客観的に観察できるようになることである。ミスを防ぐための第一の手段は、ミスについての自分の考え方の把握である。もちろん最終的な防御手段は、実際の自分の行動をとらえることである。ミスに自分がどのように対応しているかというプロセスを観察できなければ、常にミスを経験した後にミスを認識し、後悔や欲求不満にさいなまれるのがオチだ。

ただし客観的に自己観察をするとき、観察結果からマイナスの判断やいかなる自己卑下もしてはならない。これは今まで他人から受けた辛らつな評価を気にしてしまう人生を歩んできた人には難しいだろう。しかしそれでは、どんなミスからも精神的苦痛を連想してしまう。だれも好き好んで精神的苦痛の状態にいたくはない。そのためできるかぎり長い期間、ミスとして定義していることを認めずに避けるのが典型的である。たしかに日常生活ではミスに直面せずに回避できるかもしれない。しかしトレーダーがミスへの直面を避けようとしたら、悲惨な結果を招くはずだ。

例えば、フロアトレーダーたちの相談に乗っているとき、彼らの状況がどれほど心もとないか解説するために、私は「グランド・キャニオンに架かった橋を歩いている自分の姿を想像してほしい」という話をしている。橋の幅はトレードの枚数に反比例する。一枚で売買するトレーダーにとって、その橋幅は六メートルだとしよう。幅六メートルの橋は、踏み違えるにはかなりの許容幅がある。したがって自分の足取りに過度に気を使って集中する必要はない。それでも、つまずいて足を踏み外せば、二キロかなたの谷底へと転落してしまう。

谷底まで二キロもある手すりのない狭い橋を渡る人がどれだけいるか実際には分からないが、このような危ない橋を歩く人は、まずほとんどいないだろうと思われる。同様に、そのようなリスクを取る先物取引所のフロアトレーダーはほとんどいないだろう。たしかに一枚単位のフロアトレーダーでも、高さ二キロの橋から落下するのと少しも違わない大損害を被る可能性はある。しかしミスや計算違い、異常な相場変動でマイナスを出しても比較的広い許容範囲があるのも事実だ。

しかし私が相談に乗った最大級のフロアトレーダーには、一度に平均五〇〇枚のTボンド先物を自己勘定でトレードしている人もいた。ときには一〇〇〇枚を超える建玉をすることもあった。一〇〇〇枚の建玉であれば、一ティック（Tボンド先物の最小呼値単位）動いただけで三万一五〇〇ドルの損益である。もちろんTボンド先物は非常に変動しがちになるときがあり、数秒で一方向に数ティック動く可能性がある。

トレーダーの建玉規模が増加すると、グランド・キャニオンに架かる橋の幅も狭くなる。その大口ボンドトレーダーの場合、橋幅は細い針金ぐらいにまで狭くなっている。かなり巧妙にバランスを取る必要があるのは明らかで、足取りに細心の注意を払わなければならない。少しでも足を踏み外したり、突風が吹いたりすると転落してしまう。その先は二キロ下の谷底だ。

立会場にいる彼にとって、そのちょっとした踏み外しや少しばかりの突風とは、雑念である。それだけのことだ。余計なことを考えたり何か別なことに気をとられたりして、ほんの一～二秒の間、集中力を失い、気が散っただけで、建玉を手仕舞う最後の絶好の機会を逃してしまう可能性がある。そして次に手仕舞えるだけの十分な流動性となったとき、得てして価格は数ティック変化している。その変化が巨額の損失を生むかもしれないし、あるいはせっかくの利益を吐き出してマーケットに還元しているかもしれない。

一貫した結果を残すにはミスの排除が重要な役割を果たす。だとすれば、ミスを受け入れられない場合、目的の達成を阻む大きな困難に遭遇するだろうと言える。これはこの言い回しでは控えめな表現だと思うぐらい重要である。ところが本当に受け入れられるのは、ごく限られた人たちだけである。だからこそ一貫して勝利するトレーダーが非常に少ないのだ。実際、ミスを認めない傾向が人類全体にかなり蔓延していて、人間の本質的性格であると確信している人がいるほどだ。しかし私はそうは思わない。ましてやミス、計算違い、失敗を自嘲したり、自己卑下したりする能力を持って生まれてくるとは思えない。

ミスは心の自然な動き（機能）から生じてしまう。それは以下の状態に達するまで続くであろう。

①すべての信念が自分の願望と完全に調和している
②すべての信念が、環境の観点からもたらされるものと完全に同調するように構造化されている

自分の信念が環境の観点からもたらされるものと同調しなければ、ミスを犯す可能性が高くなるのは明らかで、おそらくずっと続くだろう。そして自分の目的を満たすための適当なプロセスを認識できなくなるだろう。さらにまずいのは、自分の欲するもの、自分が願う金額、そしてトレードのタイミングを認識できなくなる点である。

一方で、自分の目標に対立する信念から生じたミスは、必ずしも明白に顕在化するわけではない。それらは対抗するフォースとして作用し、その信念なりの真実の解釈を自分の意識に表現しようとする。発見が最も難しいのは、集中力に瞬間的な空白をもたらす原因となる雑念である。一見したところ、これは大した問題に感じないかもしれないが、渓谷に架かった橋のたとえ話のように、重大な局面で少しでも集中力が途切れることがあれば、その問題に応じて破滅的なミスを犯す可能性がある。この原理はトレードにかかわらず、スポーツやコンピューターのプログラムにも当てはまる。自分の意図が明確で、どんな対抗的エネルギーにも動じないとき、さらに集中力を維持できるようになる。そして自分の目的を達成する可能性がより高くなる。

本書の最初のほうで、勝つ姿勢を自分の努力の前向きな期待として定義したが、得た結果が何であれ、自分の成長レベルや、より良い行動をするために学ぶ必要があることを完璧に反映したものだと受け入れる必要がある。「一貫して偉大な」スポーツ選手がその他の選手と違うのは、ミスを犯す恐怖がまったくないところである。彼らが恐れない理由は、ミスを犯しても自虐的になる理由がないからである。つまり、狙った獲物を攻撃する瞬間を待ち構えているライオンのような、自分の意識を攻撃する瞬間を狙っている、マイナスを帯びたエネルギーの貯蔵庫を持っていないからだ。ミスに自虐的にならず、それをすぐに乗り越えられる彼らの非凡な能力をどうやって説明できるだろうか。自分の言葉と例で教え、心からの愛と愛情と包容力でもって計算違いとミスを直してくれる、かなり非凡な両親・教師・コーチに恵まれて育ったからかもしれない。「かなり非凡な」と言ったのは、私たちの多くがまったく反対の経験をして育っているからだ。怒り・いらだち・包容力が完璧に欠如した人たちから、ミスや計算違いを修正するように教えられているのだ。しかし、偉大なスポーツ選手は、ミスに関する過去のプラスの経験から、「ミスは自分の成長と向上のため、精神集中すべきところへの方向性を示す糧でしかない」という信念を習得できたのではないだろうか。

　そのような信念にはマイナスを帯びたエネルギーの源泉はなく、したがって自己批判の思想の根源もない。しかしその他大勢の人たちは、自分の行動に過度に否定的な反応を経験しながら育っている。「ミスは何が何でも避けねばならない」「もしミスを犯せば、何かがおかしいに違いない」「自分はドジな奴に違いない」「ミスを犯せばダメ人間に違いない」というミスについての信念を自然と習得しているのだ。

覚えておいてほしい。すべての思想、言葉、行動は、私たちが自分自身について持っている信念をより強める。マイナスの自己評価を繰り返すことで、「自分はドジな奴だ」と思い込んでしまうのだ。そういう信念を持ってしまえば、その信念が思想にも表れ、錯乱や自己卑下の感情を生む原因になる。言い換えれば、自分自身や他人について、そのようなマイナスな信念を反映するような発言をしたり、行動を取ったりして、あからさまに自虐的な振る舞いをするようになる。

一貫した勝利者になるつもりであれば、ミスはたいていの人々が考えるようなマイナスの意味を持たない。ある程度、自分を監視できればよい。ただし自分がミスを犯す過程にいるのを発見し、心理的苦痛を経験する可能性があれば、自分を監視するのは難しいだろう。もしその可能性があるとすれば、二つの選択肢がある。

①「ミスを犯す」という意味について、プラスを帯びた信念を習得するよう心的作業をする。同時にミスを犯したことに対して、自責の念や自己卑下の原因となるマイナスを帯びた信念を非活性化させる。

②この最初の選択肢が向いていないと判断すれば、自分の売買方法を設定してミスを犯す可能性を解消できる。つまりトレードで一貫した結果を望んでいるのならば、自己観察がで

きなくても、ひたすら機械的段階に従ってトレードすることで、ジレンマを解決できるだろう。

一方で、ミスに関連するマイナスエネルギーを取り除いてしまえば、自己観察法の習得は比較的簡単なプロセスである。事実、それは簡単だ。どうして自己観察をしたいのか決めればよいだけの話である。つまり、まず心のなかで明確な目的を持つ必要がある。目的が明確になればなるほど、自分の思想・発言・行動に注意を向け始めるはずだ。

もし、自分の目的や目的達成への小さな目標に集中できない自分に気がついたときは、達成目的に適合するように思想、発言、行動を変える。必要があれば何度も変え続けるのだ。このプロセスをより意図的に実行すればするほど、特にある程度の確信を持ってできれば、矛盾する信念による抵抗なしに、自由に自分の目的と一致して機能する心構えをいち早く構築できるだろう。

自己規律の役割

私が「自己規律」と呼ぶプロセスがある。自分の目的や願望が、心の環境にあるほかの構成要素（信念）と矛盾しているとき、（最大限の）集中力をその目標や願望の対象に再度方向づける心理テクニックとして、この自己規律を定義している。

まずこの定義から、自己規律が新しい心の枠組みを構築するテクニックであるという点に注目してもらいたい。つまり性格特性（生まれながらにして身に着いているもの）ではない。事実、私が自己規律をどのように定義したか考えてもらえれば、規律を持って生まれることは不可能である。しかしエネルギー転換のプロセスに用いられるテクニックとして、だれもが自己規律を利用できる。

このテクニックがどのように働くか、その基本的力学を解説できる個人的な経験がある。一九七八年、私はランナーになろうと決心した。その根本的動機が何であったか正確には思い出せないが、それまでの八年間、非常に怠惰な生活を送っており、どんなスポーツにも趣味にも参加していなかった（テレビを見るのは趣味には入らないだろう）。

それ以前の高校時代、そして少なくとも大学時代までは、非常に熱心にスポーツをしていた。特にアイスホッケーだ。しかし大学を卒業してからというもの、私の生活は期待とはかなり異なる展開をしていた。それが気に入らなかった。かといって、それを何とかしようとする気力もなかった。こうして無気力に日々をすごしていた。上品に言えば、かなり落ち込んでいた。

繰り返すが、なぜ突然ランナーになろうという衝動に駆られたのかよく分からない（おそらく自分の興味を誘発するテレビ番組を見たのだろう）。しかしその動機が非常に強かったのを覚えている。買い物に出かけてランニング用のシューズを購入し、それを履いて走り出した。そして最初に発見した事実が「走れない」であった。五〇～六〇メートル以上走る体力がなかったのだ。これには非常に驚いた。今まで気がつかなかったし、信じられなかった。あまりにも堕落してしまって、一〇〇メートルさえも走れなくなっていたのだ。この発見に非常に落胆し、それから二～三週間、走ろうという気にさえなれなかった。そして再開はしてみたものの、依然として五〇～六〇メートル以上走れなかった。もちろん次の日に頑張っても、結果は同じだった。私は自分のなまった身体を悲観し、また四カ月の間、走るのをやめた。

そして七九年の春、再度ランナーになろうと決心した。しかしそのとき、自分の成長のなさに非常に不満があったため、このジレンマについてじっくりと考え、問題点の一つは進むべき目標がないことであると気がついた。ランナーになろうと宣言するのは素晴らしい。しかしそれにどういう意味があるのか、本当には分かっていなかった。非常にあいまいで抽象的だったのだ。そこで夏の終わりまでに八キロ走れるようになろうと決心した。

当時、八キロ走破は克服できない課題のように思えた。しかし、それができるかもしれないという思いが、かなりの情熱を生み、その増加した情熱が刺激となって、週四回走れるようになった。そして一週目の終わりには、ちょっと練習しただけで、少しずつ走行距離が伸びてきた自分を発見して心底驚いた。これがまたさらなる情熱を生んだ。買い物に出かけストップウオッチとノートを購入して、ランニング日誌をつけ始めた。三・二キロのコースを設定し、その四分の一の地点に印をつけた。日誌には走るたびに日付、距離、時間そして身体的にどのように感じたかを記入した。

これで八キロ走破できるだろうと考えたが、やがて問題にぶつかってしまった。最大の問題は、外に出て走ろうと決心するたびに意識のなかを駆け巡る煩悩であった。走るのを妨害しようとする数多くの（そして強烈な）言い訳に私はびっくりした。「外は寒い（暑い）」「雨が降りそうだ」「この前に走った疲れがまだ取れない（たとえ三日前でも）」「知人にこんなことをする人はいない」、そして最も多かったのはこれだ。「このテレビ番組が見終わったら始めよう（もちろんけっして始まらなかった）」

成し遂げようと頑張っていることに意識の集中する方向を向け直す以外、この対立する心のエネルギーを処理する別の方法が私にはなかった。本当に夏の終わりまでに八キロを完走したかった。私の願望は「ときどき」対立する考えよりも強くなるのが分かった。その結果、シューズを履いて、実際に外に出て、走り始めることができた。しかし、通常は対立する煩悩が原因で、家でじっとしている日が多かった。事実、最初のころは三日のうち二日は走らなかった。その理由が対立するエネルギーによるものであったと思う。

次に直面した問題は、もうすぐ二キロ地点まで走れるようになってきたときだ。あまりにもわくわくしてしまい、八キロ完走を達成するためには追加の手段が必要だと感じるようになった。おそらく三キロ目、少なくとも五キロ目に達すれば、あまりにも喜んでしまって八キロの目標を達成する必要性を感じなくなりそうだと考えたからだ。そこで自分の規則「八キロルール」を作った。「もし自分が走るのをやめさせようとするすべての対立する煩悩を振り切って、ランニング・シューズを履いて外に出られたとしたら、前回走ったところよりも少なくとも一歩でも長く走るようにしよう。一歩以上長く走ったら、大いに結構だ。しかしたとえ一歩でも短くはできない」。結局、私はこの規則を破らなかった、そして夏の終わりまでに、八キロを完走したのである。

しかしその目標を達成する前に、本当に興味深い、まったく予期していなかった変化が起こった。八キロの目標が少しずつ達成に近づいてくると、対立する煩悩がなくなり始めたのである。そして結局、まったくなくなってしまった。その時点で、自分が走りたければ、何の心理的抵抗、葛藤、競合する雑念もなく実行する完璧な自由があるのだと分かったのである。かつては苦労していたことを考えると、驚かずにはいられなかった（控えめに言っても）。その結果、それから一六年間、ほとんど毎日のように走り続けたのだ。

その後について興味がある人もいるかもしれないが、現在はそれほど走っていない。五年前に、またアイスホッケーを始めようと決心したからだ。ホッケーはかなり過激な競技である。ときには週に四回もプレーすることがあり、五〇歳を超える年齢とその競技に要する努力のレベルを考えると、普通は回復に一～二日かかる。走る余裕はない。

それでは、こうした経験をもとに、信念の本質についてもう少し概念的に理解してみたい。たくさんの注目点が見つかるはずだ。

①当初、ランナーになろうという願望を支える土台が、心のシステムのなかになかった。つまり、自分の願望と一致したエネルギーの源泉（表現を求めるエネルギー化した概念）がまったくなかったのだ。

②実際に、その土台を築くために何かをしなければならなかった。「私はランナーである」という信念を生むために、その新しい信念に一致した一連の経験を生むことを必要とした。思い出してほしい。すべての思想・発言・行為は、エネルギーを心のシステムのなかのある信念に導く。対立する考えを経験してもそれを振り払い、ランニング・シューズを履いて外へ出るだけの強い意志をもって自分の目的にうまく再集中できるたびに、「私はランナーである」という信念にエネルギーを加えていたわけだ。そして同様に重要な点は、すべての対立する信念からエネルギーを何の気なしに抜き出したことである。ここで「何の

気なしに」という言葉を使ったのは、その当時の私は、自分が実行していたエネルギー転換のプロセスでの基本力学を理解していなかったからである。矛盾した信念を認識し、それを非活性化するために特別に設計されたさまざまなテクニックがあるが、そうしたテクニックを利用しようとは思いも及ばなかった。

③今では、ランナーとして（心の観点から）難なく自分を表現できる。なぜなら「私はランナーである」からだ。そのエネルギー化された概念は自分のアイデンティティーの一部として機能している。始めたばかりのころは、図らずもランニングに対して多くの矛盾した信念を持っていた。その結果、そうなるために自己規律のテクニックが必要であった。今では、「ランナーになること」が「自分はだれか」であるので、自己規律は必要ない。自分の信念が目的や願望と完璧に一致するとき、矛盾したエネルギーの源泉は存在しない。矛盾したエネルギーの源泉がなければ、（意識的あるいは潜在意識での）雑念・言い訳・合理化・正当化・ミスの根源はない。

④信念はエネルギーを保てる。そして一つの信念を変化させられるのであれば、どのような信念も変化させられる。ただし本当に信念そのものを変えるのではなく、ある概念から別の概念へとエネルギーを移動するだけであると理解しなければならない（変えようとしている信念の形はそっくりそのままである）。したがって、二つの完璧に矛盾した信念を心

のシステムに並行して存在させられる。ある信念からエネルギーを抜き出して、もう一方を完璧にエネルギー化させれば、機能的レベルでは何の矛盾もない。心理状態、情報の認識・解釈、あるいは行動に、フォースとして作用するだけのエネルギーがある信念は、一つだけであるからだ。

機械的売買の唯一の目的は、自分を一貫して成功するトレーダーに変身させることにある。「私は一貫して成功するトレーダーである」という信念を確立するのに適した原理を、自己規律のテクニックを用いて心の環境に取り入れ、アイデンティティーの一部として優位に機能させる必要がある。そしてそれらの原理が「自分はだれか」になると、もはや自己規律は必要なくなるだろう。そして「一貫」させるプロセスは難しくなくなるはずだ。

思い出してほしい。一貫性とは、勝ちトレード（さらに言えば連勝）を収める能力と同じ意味ではない。なぜなら勝ちトレードにはまったく技術を必要としないからである。すべきことは、適当な推測であって、それはコイン投げの結果の推測と少しも変わらない。一方、一貫性は心理状態である。一度達成すれば、それ以外で「いる」ことができなくなる。そうなれば一貫した状態であろうとする必要もなくなるだろう。なぜなら自分のアイデンティティーの自然な機能となっているからだ。事実、意識的にそうしようとしなければならないのであれば、優勢な矛盾のない信念として、一貫した成功の原理を完全に取り入れていないあかしである。

例えば、リスクを前もって定義するのは、「一貫していること」のプロセスの一歩である。したがって、①リスクを前もって決めるのに特別な努力を必要としている、②それをするのに意識的に思い出さなければならない、③何かしら抵抗する（つまりそうしないように誘惑する）信念を経験している、④あるいはリスクを前もって決めないでトレードしている――のことに気がつくようであれば、この原理はアイデンティティーの一部として優勢でもないし、機能してもいない。それは「自分がだれであるか」ではない。もしそうであるのなら、リスクを前もって決めずにトレードするなど考えられない。

対立する信念すべてが非活性化されたとき、それ以外で「いる」ことはあり得ない。かつて苦労していたことが、ほとんど難なくできるようになる。その時点で、他人には自分が非常に規律のある人間に見えるかもしれない（彼らにとっては不可能ではないにしても難しく思えることができるからだ）。しかし現実は、けっして規律で縛られているわけではない。人とは異なる信念を機能させて自分の願望、目標、目的と一致した行動をしているだけなのだ。

一貫性の信念を確立する

「私は一貫した勝者である」という信念の確立が最終的目標である。しかし私がランナーになりたいと願ったときのように、あまりにも大まかで抽象的なため、一歩一歩の過程を分解しなければ実行は難しい。したがってまずは、この信念を細かく具体的な部分に分解し、そして優勢な信念として各部分を取り入れる方法を提供しようと思う。つまり、以下の副次的信念を積み重ねて、「一貫した勝者になる」という信念を確立するのだ。

私は一貫した勝者である。なぜなら

①私は自分の優位性を客観的に確認している。
②私はすべてのトレードでリスクを前もって決めている。
③私は完璧にリスクを受け入れている。あるいはトレードを見切ることをいとわない。
④私は疑念も躊躇もなく自分の優位性に従う。
⑤私はマーケットが可能にしてくれた勝ちトレードから利益をつかみ取る。

⑥私はミスを犯すことへの自分の対応を継続的に監視している。

⑦私はこうした一貫した成功の原理の絶対的必要性を理解している。したがってけっしてそれを破らない。

これらの信念は、一貫性の七つの原理である。機能的レベルでこれらの原理を心のシステムに取り入れるため、意図的にそれに適した一連の経験を必要とする。これは犬と一緒に遊びたい男の子や、ランナーになりたいと願った私とまったく同じだ。犬と遊ぶ前に、男の子は犬に近づこうとする試みだけでも何度か経験を積む必要があった。その結果、心のシステムのエネルギーの均衡が変化したとき、何の内的抵抗もなく犬と遊べるようになったのである。ランナーになるためには、私は心のなかにあるほかの誘惑を振り切ってランニングの経験を積まなければならなかった。結局、エネルギーが新しい定義のほうにますます移ってきたとき、ランニングは私のアイデンティティーの自然な表現となったのである。

明らかに、ここで成し遂げようとしている行為は、ランナーになることや犬をかわいがることよりもはるかに複雑である。しかしプロセスの基本的力学はまったく同一だ。具体的な目標から手がけるのだ。一貫性への最初の原理は「私は自分の優位性を客観的に確認している」という信念である。ここでのキーワードは「客観的に」だ。客観的になるとは、いかなるマーケット情報も、苦痛あるいは自己陶酔の観点から定義、解釈、したがって認識する可能性がないという意味である。客観的になるには、自分の期待を中立に保つ信念を利用し、常に未知のフォースを考慮しなければならない。

覚えておいてほしい。客観的になり、「今この瞬間の機会の流れ」への集中を維持するため、自分の心を特別に鍛えなければならないのだ。私たちの心には自然にこのように考える回路はない。したがって客観的にマーケットが見られるようになるため、マーケットの観点から考える方法を習得しなければならない。マーケットにしてみれば、値動きに作用するのを待ち構えている未知のフォース（トレーダー）が常にある。したがってたとえその瞬間が自分の記憶のなかに刻まれている過去とまったく同じものに見えても、聞こえても、感じても、マーケットにしてみれば「すべての瞬間が唯一無二のものである」のだ。

何が次に起こるか知っていると決めつけた瞬間、自動的に正解を期待するようになるだろう。しかし知っていることは、単に論理的思考のレベルで自分の唯一の過去を考慮しているだけであり、それはマーケットの観点から実際に起きていることとは何の関係もないかもしれない。その場合、自分の期待と一致していないいかなるマーケット情報も苦痛として定義し解釈してしまう可能性がある。そして苦痛の経験を回避するため、自分の心は自動的に、マーケットが提供している情報と自分の期待の間にある差異を、意識的・無意識的に苦痛回避のメカニズムで補おうとする。

そこから引き起こされるのは、一般的に「妄想」と呼ばれる経験だ。妄想状態では、客観的になれず、「今この瞬間の機会の流れ」への関連づけもできない。その代わり、典型的なミス（躊躇、早まった行動、前もってリスクを明確にしない、リスクを明確にしているが損切りを拒否してさらに損失を拡大させてしまう、早計に勝ちトレードを手仕舞ってしまう、利食いのタイミングを逃してしまう、勝ちトレードを持ちすぎて負けに転じさせてしまう、建玉位置に近いところに移動させた逆指値で手仕舞った後でマーケットが自分の思惑の方向に反転してしまう、トレード資金と比較してかなり大きな建玉をしてしまう）をすべて犯してしまうだろう。マーケットに関する五つの根本的真実は、自分の期待を中立に保ち、（現在の瞬間と過去を分けて考えて）「今この瞬間の機会の流れ」に精神を集中できるようにする。したがって以上のミスを犯す可能性を排除してくれる。

ミスを犯さなくなれば、自分を信頼し始める。自己信頼の感覚が強くなれば、自信が深まる。自信が深まれば深まるほど、トレードの執行（条件や躊躇なしに自分の優位性に従うこと）が楽になる。そして五つの真実はまた、トレードのリスクを心から受け入れられる心理状態を築く。リスクを心から受け入れたとき、どんな結果にも平穏でいられるはずだ。どんな結果にも平穏でいられるならば、不安のない客観的な心理状態を経験できるはずだ。そうした心理状態であれば、いかなる「今この瞬間」であれ（マーケットの観点から）マーケットが提供しているものを認識し、従うことを可能にするはずだ。

一貫性確立の最初の目標は「私は自分の優位性を客観的に確認している」という原理を、優勢な信念として取り入れることであった。問題は「どうしたらそこに到達できるか？」だ。つまり、どうしたらマーケットの観点で継続的に考えられるように変身できるのか。

その変身のプロセスは、自分の願望、そしてその願望の対象に何度も集中し直す意欲（つまり自己規律）から始まる。願望はフォースである。それが、今現在トレードの本質について自分が真実であると信じていることと一致していなくてもかまわない。具体的な目標で構成された明確な願望であれば、非常に強力なツールとなる。願望のフォースを利用して、自分のアイデンティティーにまったく新しい面や次元を確立できるのだ。そして対立する概念からエネルギーを変換できるようになる。その結果、自分の記憶の意味や極性をマイナスからプラスへと転換できるのだ。

「心を決める」という文句をよく耳にするであろう。この「心を決める」には、文字どおり何も立ちはだかるものがない（つまりまったく疑いの余地がない）明快さと確信でもって、自分の願望を決定するという意味が込められている。決意の裏に十分なフォースがあれば、ほぼ即座に心の構造に大きな変化を経験できる可能性がある。矛盾した信念の非活性化は、時間が解決するのではない。集中した願望が重要なのである（とはいえ、自分の心を本当に確立するところにまで到達するには、かなりの時間がかかるものだが）。一方、はっきりとした明快さと確信が十分になければ、自己規律のテクニックが長期にわたって非常にうまく機能するだろう（もちろん、その利用は望まなければならない）。

目的に達するためには、できるかぎりの明快さと確信でもって「決心」すべきである。何よりもトレードにおいて一貫性（信頼、自信、客観性の心理状態）を望む。これは必要だ。そうでなければ大半のトレーダーのように、非常に頑固な矛盾したフォースに直面するからだ。一貫性とは関係のないほかの理由から（例えば、大きな値動きをとらえた陶酔感で気分を高揚させるため、家族や友人に感銘を与えるため、ヒーローになるため、ランダムな報酬への依存症状を満たすため、自分の予想について正解であろうとするため）トレードをしているのであれば、このようなほかの動機のフォースが障害となり、これから私が提供する売買演習を非常に難しくするだろう。そしてまたこれらのフォースには、この演習をするだけの気力を奪う影響力がある。

ほかの子供たちと同じように犬と関係を持とうという願望がなかった男の子のケースを思い出してほしい。本質的に彼は、すべての犬が危険なわけではないという微弱なプラスの信念と、すべての犬が危険であるという中核的なマイナスの信念との間に、活動的矛盾を抱きながら生きていこうとした。友好的な犬を認識する能力はあるが、同時にその犬と関係を持つのは不可能であると分かっている。それを変えようとする願望がないかぎり、二つの信念にあるエネルギーの不均衡は変わらず、そのままの人生を送るであろう。

このプロセスに取り掛かるのにも、かなりの一貫性を必要とする。そのことで、一貫性が確立できる信念を取り入れるプロセスに適さない（トレードに対する）理由、動機、予定のすべてを、自ら望んで払拭できるようになるからだ。このプロセスを成功させるつもりがあれば、明確かつ激しい願望は、絶対に必要である。

売買演習――カジノ的優位性を用いたトレード法を習得する

この売買演習から、トレードが単純な確率（数字）のゲームにすぎず、スロットマシーンのハンドルを引く作業と何も変わらないことを確信してほしい。ミクロレベルでは、個々の優位性の結果は独立して発生し、ほかのトレードとの関係はランダムであるが、マクロレベルでは一連のトレードから最終的に一貫した結果が残るのだ。

以下の条件を満たせば、スロットマシーンに興ずる人になる代わりに、確率で考えるという意味でカジノ業者のようなトレードができるようになる。

①本当に勝算をもたらす優位性がある。
②適当な姿勢（五つの根本的真実）でトレードについて考えられる。
③一連のトレードで一貫してすべきことをすべてしている。

そうすればカジノ業者のようにゲームをものにし、一貫した勝者になるだろう。

売買演習の設定

マーケットを選ぶ

頻繁にトレードする株式（先物）銘柄を選ぶ。その市場に流動性があるかぎり、また少なくとも一回のトレード当たり三〇〇株（あるいは先物三枚）に相当する証拠金の余裕があるかぎり、銘柄が何かは問題ではない。

優位性を明確にするマーケットの可変要素の組み合わせを選ぶ

これは自分の欲するどのような売買システムでも可能だ。選んだ売買システムや方法論が、数学的、機械的、視覚的（チャートパターンに基づいたもの）であればよい。個人的に設計したシステムであろうが、だれかから購入したシステムであろうが問題ではない。最適なシステムを分析開発しようと長い時間をかける必要もなく、あるいは入念に吟味する必要もない。この売買演習は分析システムを開発するためのものではなく、また自分の分析能力を検証するためのものでもないからだ。

事実、選んだ可変要素は、ほとんどのトレーダーの目から見ても二流とみなされているものでも一向にかまわない。なぜならこの売買演習の学習目的は、実際に儲けることではないからだ。この売買演習での損失は授業料と考えてほしい。それでも、最も収益性のある優位性を見つけようとする試みに費やされた時間や努力に比べれば、大した出費ではないはずだ。

この見解に疑問に感じている読者の方もいるかもしれないが、その人たちのためにどのようなシステムや可変要素を用いたらよいか具体名で推薦するつもりはない。なぜなら本書の読者の大半の方には、すでにテクニカル分析の素養があると思うからだ。さらに助言が必要ならば、その手の本は無数にある。同様に自分のアイデアをぜひとも売りたいと願っているシステム業者もいる。しかし、選んだ売買システムが何であれ、次に列挙した条件を満たすものでなければならない。

仕掛け

優位性を明確にするために用いられるこれらの可変要素は、かなり具体的でなければならない。自分の優位性が出現したかどうかを主観的に判断・判定する必要がないように、システムを設計する必要がある。マーケットが売買システムの厳格な可変要素ときっちり適合すれば、トレードを実行する。そうでなければトレードしない。以上だ！　けっして自分の可変要素をほかの無関係の要素やランダムな要素と同一視してはならない。

損切り用の逆指値

同じ論理は、機能していないトレードを手仕舞うときにも当てはまる。その方法論は、そのトレードが機能するかどうか見極めるためにどれだけのリスクを取ることが必要か「はっきり」と示すものでなければならない。トレードが機能していない可能性が、特に収益性との関係において非常に低く、次の優位性を探すため損切りをしてすっきりしたほうがよいと考えられる最適なポイントは常にある。受け入れられるリスク額の設定には、主観的金額を用いるよりも、最適なポイントがどこか客観的に判定できる枠組みが必要である。

つまり選んだシステムが何であれ、主観的意思決定をはさむ余地がない、絶対に厳格なものでなければならない。繰り返すが、無関係の要素やランダムな要素を同一視してはならない。

時間枠

自分の方法論は自分に合った時間枠にはまるはずだ。ただし、仕掛けと仕切りのシグナルは同じ時間枠を基にしたものでなければならない。例えば、自分の用いている可変要素が三〇分足で形成される特定の支持線・抵抗線を確認するものであれば、リスクと利益目標の計算もまた三〇分足で決定する必要がある。

しかし、ある時間枠でトレードしているときにほかの時間枠をフィルターとして用いるのを否定するわけではない。例えばフィルターとして、主要トレンドの方向でしかトレードしないと明言した規則を持つのは可能だ。「トレンドはフレンド」という古い相場格言もある。これはもし主要トレンドがあれば、その方向でトレードすると成功率が高くなるという意味である。事実、リスクの最も低いトレードは、成功率が最も高いとき、つまり上昇トレンドでの押し目(支持線)で買う、あるいは下落トレンドでの戻り頭(抵抗線)で売るときに生じる。

この規則をどのように用いるか解説しよう。自分の優位性として三〇分足で支持・抵抗線をはっきりと確認する方法を選んだとする。そしてこの規則では、主要トレンドの方向でのみトレードをするようにする。主要トレンドの定義の仕方は、高値を更新し安値を切り上げている状態であれば上昇トレンド、逆に安値を更新し高値を切り下げている状態であれば下落トレンドとする。時間枠が長くなればなるほど、トレンドはより重要になる。つまり日足の形成するトレンドは、三〇分足の形成するトレンドよりも意義がある。したがってこの場合、日足の形成するトレンドを主要トレンドと考えられるだろう。

主要トレンドの方向を決定するため、日足で何が起こっているかに注目する。日足トレンドが上昇であれば、自分の優位性が三〇分足の支持線として明確にするポイントへの下げ（押し）を探すだけである。そしてそこで買う。一方で、日足トレンドが下落であれば売り専門となる。つまり、三〇分足で自分の優位性が抵抗線として明確にするポイントへの上げ（戻り）を探すだけだ。

要は、日足が下落トレンドであれば、三〇分足で戻りを描きながらもそのトレンドの釣り合いを崩さないポイントはどこか決めておくことである。また日足が上昇トレンドであれば、三〇分足では押しを描きながらもそのトレンドの釣り合いを崩さないポイントはどこか決めておくことである。三〇分足の支持・抵抗でのリスクは基本的にかなり低い。なぜならトレードが機能していないと判断するために、そうしたポイントを超えてさらに先までマーケットが進展するのを見る必要がないからである。

利食い

信じられない人もいるかもしれないが、一貫して成功するトレーダーとなるために必要な技術のなかでおそらく最も習得の難しいもの、それが利食いである。実際、多くの人が悩む問題であり、得てしてかなり複雑な心理的要素があり、しかも相場分析の効力など、ほかにも課題がある。残念ながら、こうした複雑な問題群の整理は、本書の範囲をはるかに超えてしまっている。とはいえ、この点を強く指摘しておけば、それだけ難しいのだから、利食いできなくても自責の念にかられずにリラックスしてやり過ごせるだろう。たとえほかのすべての技術を習得した後でも、熟知するには長い時間がかかるほど難しいものなのだ。

しかし絶望する必要はない。少なくとも五番目の一貫性の原理「私はマーケットが可能にしてくれた勝ちトレードから利益をつかみ取る」の目的が満たせる、利食い手順の設定方法がある。一貫した勝者であるという信念を確立するつもりであれば、その信念と一致する経験を築かなくてはならない。信念の目的が一貫的な勝利にあるのであれば、勝ちトレードで利食いする方法は特に重要である。

これは売買演習のなかで、自分の行動についてある程度の裁量が入る唯一の部分である。まず、勝ちトレードでマーケットは自分の思惑の方向にどこまでいくのかけっして分からないという基本的前提がある。そしてマーケットはめったに一本調子で上昇したり下落したりはしない（一九九九年秋のナスダック市場の多くのネット関連株は、この説明が当てはまらない明らかな例外であった）。典型的に、マーケットは上昇したら、上昇したある程度の部分に押しが入る。あるいは、マーケットが下落したら、下落したある程度の部分に戻りがある。

こうした押し・戻りは、勝ちトレードの維持を非常に難しくさせる。マーケットが自分の思惑の方向に再度反転する可能性がまだあるとき（通常の押し・戻り）と、自分の思惑の方向に再度反転する可能性がゼロではないが、かなり低くなってきているとき（異常な押し・戻り）を見分けるために、非常に洗練された客観的分析が必要となるだろう。

マーケットがどれだけ自分の思惑どおりに動くかけっして分からないとしたら、いつどうやって利食いをすればよいのか。これはマーケットを読んで、最も動きを止めそうな場所を選ぶ能力があればできる。しかし客観的に見てこれが分かる能力がなければ、心理学的観点から最適な手段がある。それは建玉を三等分（あるいは四等分）して、マーケットが自分の思惑どおりに動いているときに部分的に建玉を手仕舞う方法である。先物をトレードしているのであれば、最小の建玉規模は少なくとも三枚（あるいは四枚）となる。株式であれば、最小の取引株数は三で（あるいは四で）割れる数である。したがってその場合、端株注文はない。

これは私の勝ちトレードの手仕舞い方法である。トレードを始めたばかりのとき、特に最初の三年間（一九七九～八一年）は、自分の売買活動の結果を徹底的かつ定期的に分析していた。そこから発見したことの一つであるが、マーケットが少しも自分の方向に動かずに損切りをするケースは滅多になかった。概して一〇回のうち一回だけが自分の思った方向にけっして向かわずかにすぐに負けていた。しかし完敗したトレードのうちの二五～三〇％で、マーケットが反転して損切りする前に、通常は三～四ティック自分の方向に動いていたのである。そこで、もともとの建玉の少なくとも三分の一を、マーケットが三～四ティック自分の方向に動くたびに手仕舞うようにした場合、その年の終わりには、積み重ねた利益が私の売買コストを還元するのに大いに役立つだろうと計算した。私は正しかった。以後、常に条件も躊躇もなく、常にマーケットが少しばかり思惑どおりに動いたときはいつでも、勝ち玉の一部を手仕舞うようにしている。最初の利食いの額がどれくらいかは銘柄によるし、時と場合による。例えば、Tボンド先物では、四ティックを得ているときに建玉の三分の一を手仕舞っている。またS＆P先物では、一・五～二ポイントの利益で建玉の三分の一を手仕舞っている。

Tボンドでは、トレードが機能しているか見極めるために六ティックを超えるリスクを取らないのが普通だ。例えば三枚でトレードしているとしよう。建玉した後にマーケットが、四ティック以上自分に有利な方向に動かずに、すぐに不利な方向へと動いた場合、一八ティックの損失でトレードを仕切る。しかし前述のとおり、こうした事態は滅多にない。よりありがちなのは、負ける前に少しだけ自分に有利な方向へと動いている場合だ。少なくとも四ティック有利に動けば、一枚仕切って四ティックの利益を取る。これで残り二枚となって、合計リスクが一二ティックに減ったことになる。そしてマーケットが反転して残りの二枚を損切っても、そのトレードでの正味の損失は八ティックとなる。

残り二枚が損切りを免れ、マーケットが有利な方向に動いている場合、前もって決めておいた利益目標でさらに一枚仕切る。このポイントは、ある長期の時間枠の支持線・抵抗線、つまり直近の主要な高値・安値の基準を基にしている。そして二枚目を利食ったとき、自分の仕切り用の逆指値注文をもともとの建玉位置に移動する。これで最後の三枚目の建玉に何が起こってもトレードの純利益を確保したことになる。

つまり「ノーリスクの機会」を手にしたのである。この状態の経験がどれだけ重要か、強調したくてもしきれるものではない。たとえ出版社にこのページの文字だけ大きくしてもらっても十分強調しきれているとは言えないだろう。「ノーリスクの機会」の状況を設定すれば、何かかなり普通でない（例えば、逆指値を超えてストップ安やストップ高になる）事態が起きないかぎり、損をしない。普通の状態では損をしないというリラックスした不安のない心理状態でのトレードを、本当にどのように感じられるか経験できる。

この点を解説するため、自分がトレードに勝っている状況を想像してほしい。マーケットは有利な方向に著しく動いていた。しかしさらに動くと考えたので利食いをしなかった。マーケットがさらに動くどころか、マーケットは反転し、自分のもともとの建玉位置に接近してきた。ところでああわててトレードを手仕舞ってしまう。一度は勝っていたトレードが負けに転じるのは嫌だからだ。しかし手仕舞うや否やマーケットは再度反発し、そのままにしていたら利益になっていた方向へと動く。建玉を一部手仕舞って利益を確定し、ノーリスクの機会の状況に自分を置いていたら、こうした展開にあわてたり、ストレスや不安を感じたりすることはほとんどないだろう。

まだ最後の三枚目を残したままだ。今度はどうするか。マーケットが最も動きを止めそうなところを探す。これは通常、長めの時間枠での主要な高値・安値である。買い玉であればその位置の真下に仕切り注文を置くし、売り玉であればその位置の真上に仕切り注文を置く。真下・真上に注文を置くのは、トレードを仕切るときに最後のティックを搾り出すことについては関心がないからである。そのような試みに何の価値もないのは長年の経験から分かっている。

考慮すべきもう一つの要素が、リスク・リワードの比率である。リスク・リワードの比率とは、収益性に比較して取らなければならないリスク額の数値である。理想を言えば、リスク対報酬の比率が少なくとも三：一であるべきである。つまり三ドルの収益性に対してかけられるリスクは一ドルだけである。もし自分の優位性と建玉管理法が三：一のリスク対報酬の比率をもたらしている場合、勝ちトレードの割合は五〇%未満でも、依然として一貫した収益を出しているであろう。

三：一のリスク・リワードの比率は理想である。しかしこの比率は、この売買演習の目的という意味からすれば、大した問題ではない。どれだけの収益性があるかよりも、いかに決めた比率を守るかのほうが重要なのだ。マーケットが利益を可能にしているときは、妥当な収益レベルで稼げるようにベストを尽くす。勝って仕切ったトレードのすべての要素が、一貫した勝者になるという信念をさらに強めてくれるだろう。そしてすべての数字が、一貫する能力への信念をより強め、さらに素晴らしい心の支えとなるだろう。

標本の大きさ

典型的なトレーダーは直近のトレードの結果に一喜一憂する傾向がある。もし勝てば次のトレードを喜んでするだろうし、負ければ自分の優位性の可能性に疑問を感じ始める。しかし、どのような可変要素が機能するのか、どのようにうまく機能するのか、また機能しないものは何かを見極めるためには、こうしたランダムな可変要素を考慮せず、体系的なアプローチが必要となる。つまり、典型的なトレーダーが持っているようなそれぞれのトレードだけに限られた狭い視野から、二〇トレード以上の標本の大きさで成否を判断するように視野を広く持たなければならない。

自分が決定するどのような優位性も、マーケットの一方向への変動の可能性を計る可変要素の数値や、限定したそれらの関係を基にしているだろう。マーケットの立場で考えてみれば、マーケットに出入りする可能性のある各トレーダーが値動きへのフォースとして作用するわけであるから、すべてのトレーダーがマーケットの可変要素である。しかしどのような優位性のあるテクニカル売買システムも、すべてのトレーダーの動向や建玉・仕切りの理由を考慮できない。その結果、優位性を明確にするどのような可変要素も、非常に流動的な事柄を寸評するようなもので、すべての可能性の限られた部分だけをとらえているにすぎない。

マーケットに可変要素の組み合わせを当てはめたとき、しばらく非常にうまく機能するかもしれないが、やがてその効力が落ちてきているのに気づくかもしれない。これはすべてのマーケット参加者間の相互作用の根本的力学が変化しているからである。新しいトレーダーたちが独自の相場観を持ってマーケットに参入する一方で、またあるトレーダーたちは退場している。こうした変化は少しずつマーケット動向の根本的力学に影響するのである。どのような厳格な可変要素の組み合わせも、こうしたかすかな変化を考慮できるものではない。

標準サイズでトレードをしていれば、マーケット動向の根本をなす経済状況の微妙な変化に惑わされることなく、一貫したアプローチを維持することが可能である。標本サイズは自分の可変要素に公正で十分な検証ができるだけの大きさでなければならない。しかし同時に、自分の可変要素の効力が落ちていれば、過度の資金を失う前にそれを発見できるような小ささでなければならない。こうした両方の条件を満たすのが最低二〇回のトレードであり、これが適当な標本の大きさである。

検証

詳細をはっきりさせた可変要素の組み合わせを決定したら、どのようにうまく機能するか調べるため、検証する必要がある。これに適したソフトを持っている人であれば、おそらくその手順に精通しているだろう。しかしそうした検証用ソフトを持っていなければ、専門の調査会社に自分の可変要素の検証を依頼できる（私がお薦めする調査会社を知りたいのであれば、http://markdouglas.com/にアクセスして参照してほしい）。どちらにせよ、留意してもらいたいのは、売買演習の目的が、トレード経験を通してカジノ業者のような客観的思考法を学ぶことにある。現時点では、システムの運用成績はそれほど重要ではない。しかし優れた予想勝敗率（標本サイズでの勝ち数と負け数の比率）は重要である。

リスクを受け入れる

この売買演習では、標本となる二〇回の各トレードでの自分のリスクを前もってはっきりさせておかなければならない。前述のとおり、リスクを知っていることと、リスクを受け止めていることとは別問題である。この演習を通してのリスク額をできるだけ甘受してほしいと思う。

なぜなら売買演習には二〇回分となる標本の大きさが必要であり、二〇回のトレードで全敗する可能性があるからだ。これは明らかに最悪のシナリオである。しかしその可能性は、二〇回のトレードを全勝するのと同じくらいだ。つまり非常にあり得そうにないケースである。それでもその可能性がまったくないわけではない。したがって、二〇回のトレード全敗でもリスク額を許容できるように、売買演習を設定すべきである。

例えば、S&P五〇〇先物（取引単位二五〇倍）をトレードしている場合、自分の優位性が機能するか見極めるため一枚当たり三ポイントのリスクを必要とするかもしれない。演習には一トレード当たり最低三枚の建玉を必要とするので、一トレードのリスク合計額は二二五〇ドルとなる。したがって二〇トレードで全敗するとリスク額は四万五〇〇〇ドルとなる。この演習で四万五〇〇〇ドルをリスクにさらすのはしっくりこないかもしれない。

もしそう感じるのであれば、ミニS&P先物（取引単位五〇倍）のトレードでリスク額を低減できる。取引単位がオリジナルの五分の一なので、一トレード当たりのリスク合計額は四五〇ドル、全二〇回で累積されるリスクは九〇〇〇ドルである。株式をトレードしている場合でも同じ考え方が当てはまる。全二〇回で累積されるリスク合計額で甘受できるところに達するまで、一トレード当たりの株数を減らしてゆくだけである。

してほしくないのは、自分が甘受できるレベルにするため、確立されたリスク数値を変更することである。例えば、調査結果に基づいて、S&P五〇〇先物のリスクは三ポイントで、それを超えたらマーケットは自分の優位性に反しており建玉を維持する価値がないというのであれば、その三ポイントは維持する。この数値を変更できるのは、テクニカル分析によってはっきりと裏づけされている場合だけである。

自分の建玉規模をできるかぎり小さくしてもなお、全二〇回のトレードで負ける金額にしっくりこないのであれば、仮想売買を提供するブローカーで演習すればよい。この仮想売買サービスでは、建玉と仕切りの過程、約定値、売買報告書・計算書のすべてが実際のブローカー会社のものと同じである。違いは注文が実際にマーケットに入っていない点である。したがって現実のリスクは何もない。仮想売買サービスは、リアルタイムに現実のマーケット状況で演習する優れたツールである。また自分の売買システムを検証するのにも優れたツールだ。

演習をする

詳細を確固たるものとした一定の可変要素がある、各トレードが機能するか見極める費用がどれくらいかかるか正確に知っている、利食いの計画を持っている、そして標本での勝敗比率から何が期待できるか知っているとき、演習を始める準備はできている。

規則は単純だ。自分が設計したシステムに従ってトレードする。つまり最低限二〇回は自分の優位性から生じたとおりに実行しなければならない。たった一、二回のトレードではない。何であろうと二〇回だ。その標本の大きさを満たすまで、規則の逸脱やほかの無関係な要素の利用や考慮、あるいは優位性を明確にする可変要素の変更はできない。

自分の優位性、比較的固定された勝算、そして標本となる二〇トレードを厳格に実行する可変要素をもって演習を設定できれば、カジノ業者の経営方法とそっくりの売買システムを構築した状態にある。なぜカジノ業者はランダムな結果を生む事象から一貫した収益を残しているのだろうか。一連の事象をこなすと勝算が見込めるからである。その勝算の恩恵を現実化するためには、すべての事象に参加しなければならない。参加するブラックジャック、ルーレット、サイコロの台を、前もって個々の事象の結果を予想して取捨選択するプロセスは取れない。

五つの根本的真実を信じ、トレードは確率のゲームであり、スロットマシーンのハンドルを引く作業と大差がないと確信していれば、この演習が難なくできると分かるだろう。決めたことを標本の大きさだけトレードし続けようとする意思と、トレードの確率的性質への信念は完璧に調和する。その結果、恐怖感・抵抗感・雑念はなくなる。ためらいや躊躇以外に、必要なときにすべきことを阻むものがあるだろうか。ない！

一方で、すでにお気づきかもしれないが、確率で客観的に考えようとする願望と、対立するすべての心のなかにあるフォースが、この演習で衝突するだろう。そのなかで抱く困難の大きさは、この対立の度合いに直に比例する。しかしその度合いがどうであれ、第一〇章で述べたこととは対極的な経験をするだろう。最初の一、二回は、この演習をどんなに頑張ろうとしてもほとんど実行不可能かもしれない。しかしそのことに驚いてはいけない。

では、こうした対立をどのように処理するのか。自分を監視するのだ。そして自分の目的に再び焦点を定めるよう自己規律のテクニックを利用する。五つの根本的真実と一貫性の七つの原理を書き出し、トレード時は常に自分の目に入るようにしておこう。そして確信を持って何度も繰り返す。これらの真実や原理に反した思想、発言、行為に気がつくたびに、その対立を認識してほしい。ただし対立しているフォースの存在を否定しようとしてはならない。（もうお分かりだろうが）それは真実に対する見識と対立する自分の心の単なる一部にすぎない。

このことを理解すれば、まさに達成目標そのものに再び焦点を定められる。自分の目的を客観的に考え、連想のプロセスを中断し（そうすれば「今この瞬間の機会の流れ」にとどまることができる）、間違い・損失・機会喪失・利食い失敗の恐怖を払拭する（そうすればミスを犯さなくなり自分を信頼できるようになる）。そこから自分のすべきことが的確に分かるであろう。できるかぎり売買システムの規則に従う。五つの根本的真実に集中している間、規則どおり完璧にこなすことが、結局はトレードの本質についてのすべての矛盾を解決するだろう。

実際に五つの根本的真実の一つを強化するたびに、対立する信念からエネルギーが抜き出され、確率に対する信念、そして一貫した結果を生む能力の信念にエネルギーが注入されるだろう。新しい信念が非常に強力になると、やがて自分の目的に一致するように考え行動する部分を意識する努力が必要なくなる。

いかなる困難、抵抗、矛盾した考えもなく、機械的にすべきことを完璧に実行し、最低限二〇回以上のトレードを実行できたとき、確率的思考法がアイデンティティーの機能的一部になったと確信するだろう。そうなって初めて、より進化した段階（主観的そして直感的段階）へと進む準備が整うのである。

最後に

一つの標本分のトレードを終えるまでにどれだけの時間がかかるか、前もって判断しないようにする。逸脱した行動、雑念、躊躇なく、ただ自分の計画に従う。どれだけの時間がかかるかは自分次第だ。プロゴルファーになりたいと思えば、的確な動作を組み合わせた理想的なスイングを身体に覚え込ませ、それが無意識にできるようになるまで、一万回以上ボールを打ち込む練習をしたとしても何の不思議もない。

練習でゴルフボールを打っているときには、実際のゲームでだれかと戦っているわけでも、大きな大会で勝負しているわけでもない。技術の習得と練習がこれからの勝利に貢献すると信じているからそうするのである。それは一貫した勝利者となるために私たちがすべきことと、何ら違いはない。

私は読者の皆さんの成功を望んでいるし、「幸運を祈る」と言わせてほしい。しかし実際には、適当な技術の習得に努めれば、幸運は必要ないだろう。

意識調査

1．トレーダーとして稼ぐため、マーケットの次の展開を知る必要がある。
同意する　**同意しない**

2．正直なところ、損を出さずにトレードする方法があるに違いないと考えるときがある。
同意する　**同意しない**

3．トレーダーとして稼げるかは、主に分析次第である。
同意する　**同意しない**

4．損失はトレードするうえで避けられない要素である。
同意する　**同意しない**

5．自分のリスクは常にトレードする前から決められている。

同意する　　同意しない

6．マーケットが次にどうなるか発見するには常にコストがかかると肝に銘じている。

同意する　　同意しない

7．勝てそうだと確信が持てない場合でも、次のトレードを仕掛けるのにまったく躊躇しない。

同意する　　同意しない

8．マーケットについて、そしてマーケット動向について理解すればするほど、トレードの実行は楽になるだろう。

同意する　　同意しない

9．自分の方法論は、マーケットがどのような状況になれば建玉や仕切りを実行するか、はっきりと教えてくれる。

同意する　　同意しない

10. 途転のシグナルがはっきりと出たときでさえ、そのとおりに実行するのが困難である。

同意する　**同意しない**

11. 通常、一貫して成功する期間が続くのは、自己資金に何度かかなり深刻なドローダウンがあってからである。

同意する　**同意しない**

12. トレードを始めたとき、自分の売買法は無茶苦茶だったと言える。つまり多くの苦痛のなかで数回成功していただけである。

同意する　**同意しない**

13. よくマーケットが自分に対して個人攻撃をしてくると感じることがある。

同意する　**同意しない**

14. 忘れようと思えば思うほど、過去の心の傷を消し去るのが難しいことがある。

同意する　**同意しない**

15. マーケットで利益が乗ったとき、常にいくばくかの利益確保を基本原則とする資金管理哲学がある。

同意する　**同意しない**

16. トレーダーの仕事は、収益機会となるマーケット動向のパターンを明確にし、これらのパターンが過去にあったように動いているかどうか見極めるためのリスクをはっきりさせることである。

同意する　**同意しない**

17. 自分がマーケットの犠牲者だと感じざるを得ないときがある。

同意する　**同意しない**

18. トレードをするとき、常に一つの時間枠に集中しておこうとする。

同意する　**同意しない**

19．トレードで成功するためには、大半の人々よりもかなり柔軟な思考力を持つ必要がある。

同意する　　**同意しない**

20．マーケットの流れをはっきりと感じるときがあるが、たいていその感覚どおりに行動するのは困難である。

同意する　　**同意しない**

21．トレードに利益が乗って、その動きが基本的に終了したと分かっても、まだ利食いをしたくないことが多い。

同意する　　**同意しない**

22．トレードでどれだけ稼いだかにかかわらず、もっとできたはずだと感じ、滅多に満足しない。

同意する　　**同意しない**

23．トレードを仕掛けたとき、前向きな姿勢を取っていると感じる。予想するのは前向きなトレードから得た利益額だけである。

同意する　**同意しない**

24. 長期的に利益を積み重ねるために最も重要な能力とは、自分自身の一貫性に信念を持つことである。

同意する　**同意しない**

25. 「一つだけトレード技術を即座に身に着けられる」という願いをかなえてもらえるとしたら、どのような技術を選ぶだろうか。

26. マーケットが心配で眠れない夜をすごしたことがある。

同意する　**同意しない**

27. 機会を逃してしまうのが心配で、無理にでもトレードしなければならないと感じたことがある。

はい　　いいえ

28. 滅多にないが、たしかに完璧なトレードは好きだ。会心のトレードをしたときは、うまくいかなかったときの感情を帳消しにするような心地良さを感じる。

同意する　　同意しない

29. 計画しておきながら実行しなかったトレードがある。あるいは計画にないトレードを実行したことがある。

はい　　いいえ

30. なぜ大半のトレーダーは利益を残せず、稼いだ利益を維持できないのか、数行で説明すること。

■著者紹介

マーク・ダグラス（Mark Douglas）

シカゴのトレーダー育成機関であるトレーディング・ビヘイビアー・ダイナミクス社の社長を務めた。商品取引ブローカーでもあったダグラスは、自らの苦いトレード経験と多数のトレーダーの間接的な経験を踏まえて、トレードで成功できない原因とその克服策を提示している。生前は、大手商品取引会社やブローカー向けに本書で分析されたテーマやトレード手法に関するセミナーや勉強会を数多く主催していた。著書に『新装版　規律とトレーダー――相場心理分析入門』『ゾーン　最終章』（パンローリング）、DVD『「ゾーン」プロトレーダー思考養成講座』（パンローリング）がある。2015年に67歳で逝去。

■序文

トム・ハートル（Thom Hartle）

ウィザード・オン・ウォールストリート社（the-wow.com）バイスプレジデント。『新マーケットの魔術師』に登場したロバート・クラウスとともに同社を設立。上級者向けにトレードの教材を提供している。９年間、世界的に有名なテクニカル分析専門誌である『テクニカル・アナリシス・オブ・ストックス・アンド・コモディティーズ』の編集をしている。

■訳者紹介

世良敬明（せら・たかあき）

明治大学政治経済学部政治学科卒。1995年、大手商品取引員入社、アメリカ語学留学し、先物業務資格試験（シリーズ#3）合格。その後、出版社などを経て、翻訳家、ライター、ジャーナリストとして活躍。

2002年4月10日　初版第1刷発行
2005年1月2日　第2刷発行
2005年7月3日　第3刷発行
2006年3月3日　第4刷発行
2007年1月3日　第5刷発行
2007年8月3日　第6刷発行
2008年3月4日　第7刷発行
2009年1月3日　第8刷発行
2009年6月4日　第9刷発行
2009年11月3日　第10刷発行
2010年3月4日　第11刷発行
2010年11月3日　第12刷発行
2011年5月4日　第13刷発行
2012年8月3日　第14刷発行
2013年7月3日　第15刷発行
2014年7月3日　第16刷発行
2015年8月3日　第17刷発行
2016年7月3日　第18刷発行
2017年7月4日　第19刷発行
2018年8月4日　第20刷発行
2020年5月3日　第21刷発行
2020年12月4日　第22刷発行
2024年3月2日　第23刷発行
2025年3月2日　第24刷発行

ウィザードブックシリーズ㉜

ゾーン
「勝つ」相場心理学入門

著　者　マーク・ダグラス
訳　者　世良敬明
発行者　後藤康徳
発行所　パンローリング株式会社
〒160-0023　東京都新宿区西新宿7-9-18-6F
TEL 03-5386-7391　FAX 03-5386-7393
http://www.panrolling.com/
E-mail　info@panrolling.com
編　集　エフ・ジー・アイ（Factory of Gnomic Three Monkeys Investment）合資会社
装　丁　新田"Linda"和子
印刷・製本　株式会社シナノ

ISBN978-4-939103-57-5

マーク・ダグラス

シカゴのトレーダー育成機関であるトレーディング・ビヘイビアー・ダイナミクス社の社長を務めた。商品取引のブローカーでもあったダグラスは、自らの苦いトレード経験と多数のトレーダーの間接的な経験を踏まえて、トレードで成功できない原因とその克服策を提示している。生前は大手商品取引会社やブローカー向けに、本書で分析されたテーマやトレード手法に関するセミナーや勉強会を数多く主催していた。

ウィザードブックシリーズ 366

【新装版】規律とトレーダー
相場心理分析入門

MP3 音声データCD
オーディオブックあり

定価 本体2,800円+税　ISBN:9784775973356

トレーディングは心の問題であると悟った投資家・トレーダーたち、必携の書籍!

相場の世界での一般常識は百害あって一利なし!
常識を捨てろ!手法や戦略よりも規律と心を磨け!
本書を読めば、マーケットのあらゆる局面と利益機会に対応できる正しい心構えを学ぶことができる。

目次

アリ・キエフ

精神科医で、ストレス管理とパフォーマンス向上が専門。ソーシャル・サイキアトリー・リサーチ・インスティチュートの代表も務める博士は、多くのトレーダーにストレス管理、ゴール設定、パフォーマンス向上についての助言を行っている。

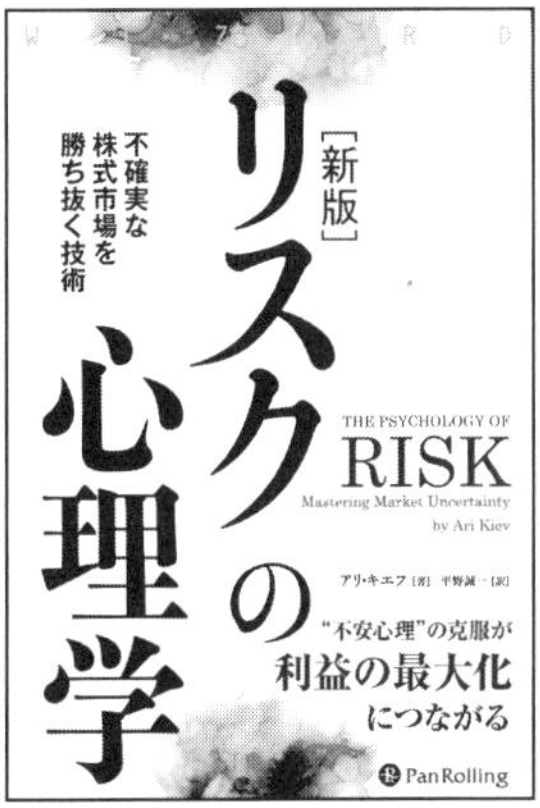

ウィザードブックシリーズ 287

リスクの心理学
不確実な株式市場を勝ち抜く技術

定価 本体1,800円+税　ISBN:9784775972564

適切なリスクを取るための
セルフコントロール法

本書では、「リスクを取る意欲の分析」「リスクを管理する方法」「トレーダーを襲う病的なパターンに対処する方法」を中心に解説する。リスクや様々なストレスへの感情的な反応に惑わされることなくトレーディングを行うためのテクニックや原則を伝授する。課題に対処することにより、不確実性と予測不能性に直面したときに行動を起こすことができる。

ウィザードブックシリーズ107

トレーダーの心理学
トレーディングコーチが伝授する達人への道

定価 本体2,800円+税　ISBN:9784775970737

トレーディングの世界的コーチが伝授する
成功するトレーダーと消えていくトレーダーの違いとは？

人生でもトレーディングでも成功するためには、勝つことと負けることにかかわるプレッシャーを取り除く必要がある。実際、勝敗に直接結びつくプレッシャーを乗り越えられるかどうかは、成功するトレーダーと普通のトレーダーを分ける主な要因のひとつになっている。

ウィザードブックシリーズ 184

脳とトレード
「儲かる脳」の作り方と鍛え方

著者　リチャード・L・ピーターソン

定価 本体3,800円+税　ISBN:9784775971512

トレードで利益を上げられるかどうかは「あなたの脳」次第

人間の脳は、さまざまな形で意思決定に密接に関係している。ところが残念なことに、金融マーケットでは、この「密接な関係」が利益を上げることに結びついていない。マーケット・サイコロジー・コンサルティングを創始し、投資家のコーチとして活躍し、心理に基づくトレードシステムを開発した著者は、自身も元トレーダーであり、無意識の誤り（バイアス）がいかにして適切な投資判断を妨げているのかを身をもって理解している。

ウィザードブックシリーズ351

トレードで行き詰まったときに読む本

著者　マイケル・マーティン

定価 本体2,000円+税　ISBN:9784775973202

ロングセラー『ゾーン』の姉妹版登場！これは新たなる『ゾーン』だ！

自分自身を理解することこそがトレード上達の第一歩である！

エド・スィコータやマイケル・マーカスといった伝説のトレーダーとの含蓄の言葉に満ちたインタビュー。

稼げる投資家になるための投資の正しい考え方

著者　上総介（かずさのすけ）

定価 本体1,500円+税　ISBN:9784775991237

投資で真に大切なものとは？手法なのか？ 資金管理なのか？それとも……

「投資をする（続ける）うえで、真に大切なものは何ですか」と聞かれたら、皆さんはどう答えるだろうか？「手法が大事」「いやいや、やはり資金管理がうまくないと勝てない」と考える人もいる。どれが正しいのかは、人それぞれだと思うが、本書ではあえて、この問いに答えを出す。それは「正しい考えのもとで投資をすること」である。

ジャック・D・シュワッガー

FundSeeder.comの共同設立者兼最高リサーチ責任者。著書にベストセラーとなった『マーケットの魔術師』シリーズや『シュワッガーのマーケット教室』（いずれもパンローリング）など多数。ヘッジファンドへのアドバイザー、先物取引のディレクターやリサーチャー、CTAの共同経営者として30年以上の経験がある。また、セミナーでの講演も精力的にこなしている。

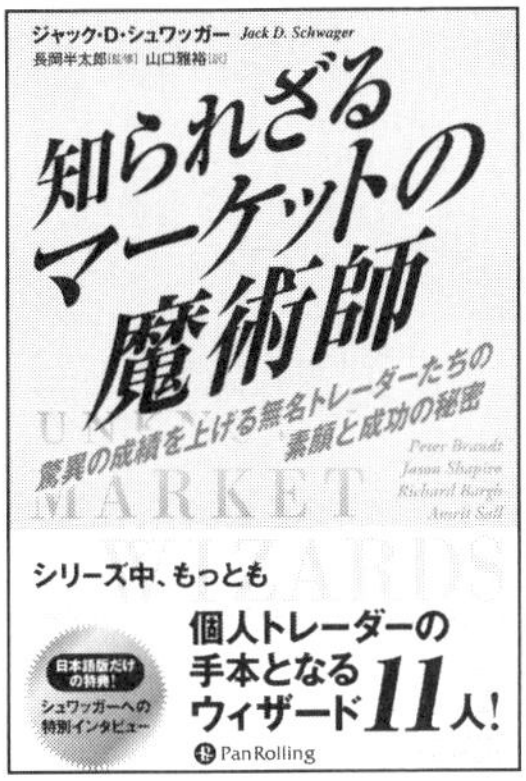

ウィザードブックシリーズ 315

知られざるマーケットの魔術師

驚異の成績を上げる無名トレーダーたちの素顔と成功の秘密

定価 本体2,800円+税　ISBN:9784775972847

30年にわたって人気を博してきた『マーケットの魔術師』シリーズの第5弾！

本書は自己資金を運用する個人トレーダーに焦点を当てている。まったく知られていない存在にもかかわらず、彼らはプロの一流のマネーマネジャーに匹敵するパフォーマンスを残している！

ウィザードブックシリーズ 19

マーケットの魔術師

定価 本体2,800円+税　ISBN:9784939103407

本書は、世にこれほどすごいヤツたちがいるのか、ということを知らしめたマーケットの魔術師シリーズの記念すべき第一弾。

ウィザードブックシリーズ 13

新マーケットの魔術師

定価 本体2,800円+税　ISBN:9784939103346

知られざる"ソロス級トレーダー"たちが、率直に公開する成功へのノウハウとその秘訣。高実績を残した者だけが持つ圧倒的な説得力と初級者から上級者までが必要とするヒントの宝庫。

ウィザードブックシリーズ 14

マーケットの魔術師 株式編 増補版

定価 本体2,800円+税　ISBN:9784775970232

今でも本当のウィザードはだれだったのか？だれもが知りたかった「その後のウィザードたちのホントはどうなの？」に、すべて答えた！

ウィザードブックシリーズ 201

続マーケットの魔術師

定価 本体2,800円+税　ISBN:9784775971680

10年ぶりの第4弾！ 先端トレーディング技術と箴言が満載。「驚異の一貫性を誇る」これから伝説になる人、伝説になっている人のインタビュー集。

ジョン・R・ヒル

トレーディングシステムのテストと評価を行う業界最有力ニュースレター『フューチャーズ・トゥルース（Futures Truth）』の発行会社の創業者社長。株式専門テレビ CNBC のゲストとしてたびたび出演するほか、さまざまな投資セミナーの人気講師でもある。オハイオ州立大学で化学工学の修士号を修得。

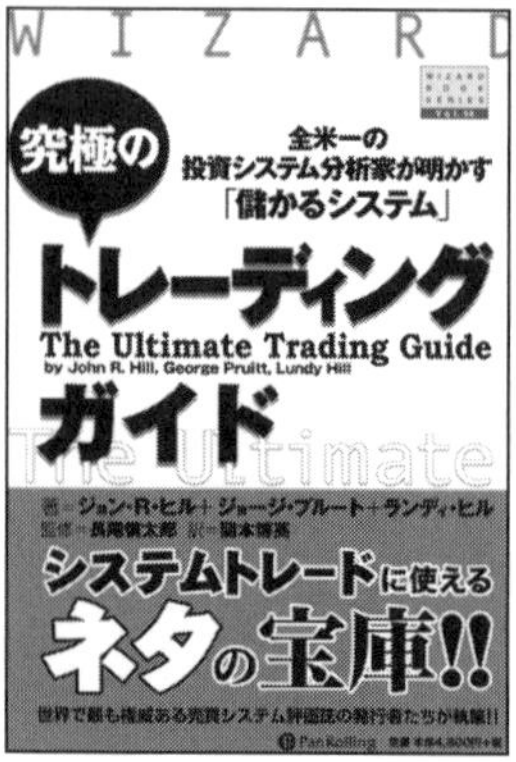

ウィザードブックシリーズ54

究極のトレーディングガイド

定価 本体4,800円+税　ISBN:9784775970157

全米一の投資システム分析家が明かす「儲かるシステム」

この『究極のトレーディングガイド』は多くのトレーダーが望むものの、なかなか実現できないもの、すなわち適切なロジックをベースとし、安定した利益の出るトレーディングシステムの正しい開発・活用法を教えてくれる。最近のトレードの爆発的な人気を背景に、多くのトレーダーはメカニカル・トレーディングシステムを使いたいと思っている。その正しい使い方をマスターすれば、これほど便利なツールはほかにない。

ウィザードブックシリーズ113

勝利の売買システム

定価 本体7,800円+税　ISBN:9784775970799

『究極のトレーディングガイド』の著者たちが贈る世界ナンバーワン売買ソフト徹底活用術

ラリーウィリアムズを含む売買システム開発の大家16人へのインタビューも掲載。イージーランゲージにはこんなこともできる!

機能面ばかりが強調され、その機能を徹底活用しようというアイデアについてはあまり聞かれないのが悩みの種だった。この悩みを完全に解消しようとしたのが、システムトレードの第一人者ジョージ・プルートとジョン・ヒルによる本書だ。

ジョージ・プルート

フューチャーズ・トゥルース CTA の研究部長、『フューチャーズ・トゥルース』編集長。メカニカルシステムの開発、分析、実行およびトレーディング経験25年。1990 年、コンピューターサイエンスの理学士の学位を取得、ノースカロライナ大学アッシュビル校卒業。数々の論文を『フューチャーズ』誌や『アクティブトレーダー』誌で発表してきた。『アクティブトレーダー』誌の2003 年 8 月号では表紙を飾った。

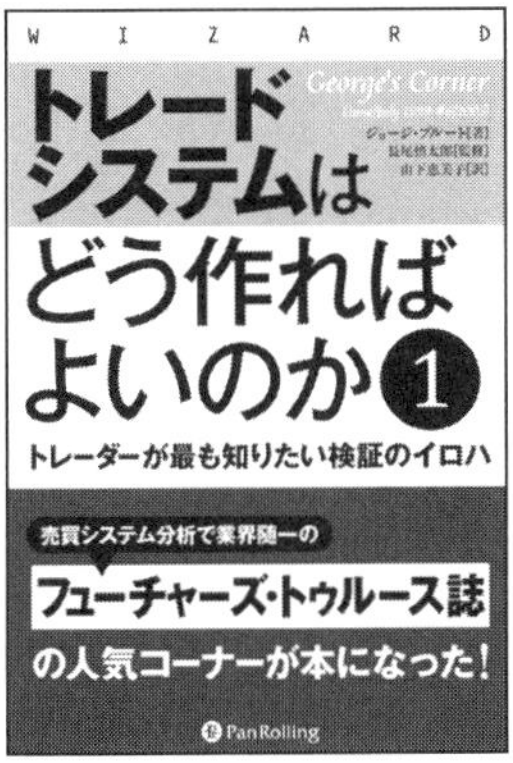

ウィザードブックシリーズ 211

トレードシステムは どう作ればよいのか 1

定価 本体5,800円+税　ISBN:9784775971789

トレーダーは検証の正しい方法を知り、その省力化をどのようにすればよいのか

売買システム分析で業界随一のフューチャーズ・トゥルース誌の人気コーナーが本になった!　システムトレーダーのお悩み解消します! 検証の正しい方法と近道を伝授!

われわれトレーダーが検証に向かうとき、何を重視し、何を省略し、何に注意すればいいのか――それらを知ることによって、検証を省力化して競争相手に一歩先んじて、正しい近道を見つけることができる!

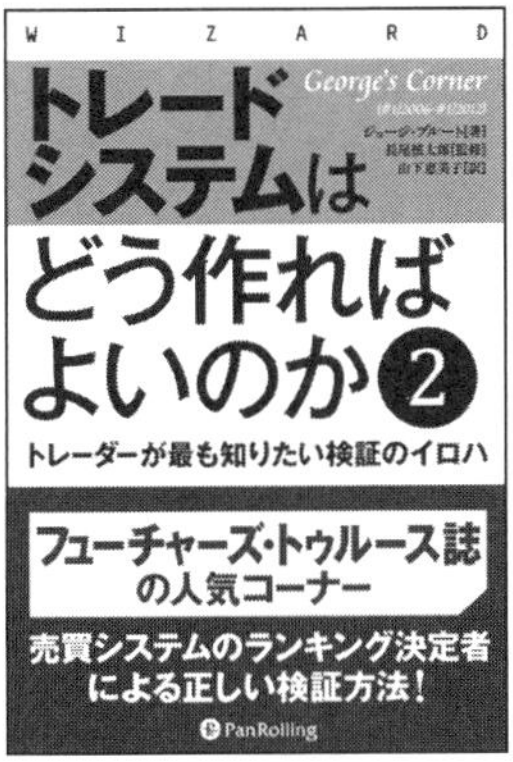

ウィザードブックシリーズ 212

トレードシステムは どう作ればよいのか 2

定価 本体5,800円+税　ISBN:9784775971796

トレーダーが最も知りたい検証のイロハ

ケリーの公式とオプティマルfとの関係、短期バイアスの見つけ方、CCIとほかのオシレーター系インディケーター、エクセルのVBAによるシステムの検証とトレード、タートルシステムの再考、2つの固定比率ポジションサイジング、トレンドは依然としてわれわれの友だちか、フューチャーズ・トゥルースのトップ10常連システム、パラメーターはどう設定すればいいのか、など。

バン・K・タープ博士

コンサルタントやトレーディングコーチとして国際的に知られ、バン・タープ・インスティチュートの創始者兼社長でもある。これまでトレーディングや投資関連の数々のベストセラーを世に送り出してきた。講演者としても引っ張りだこで、トレーディング会社や個人を対象にしたワークショップを世界中で開催している。またフォーブス、バロンズ、マーケットウイーク、インベスターズ・ビジネス・デイリーなどに多くの記事を寄稿している。

ウィザードブックシリーズ 134

新版 魔術師たちの心理学
トレードで生計を立てる秘訣と心構え

定価 本体2,800円+税　ISBN:9784775971000

秘密を公開しすぎた

ロングセラーの大幅改訂版が（全面新訳!!）新登場。

儲かる手法（聖杯）はあなたの中にあった!!あなただけの戦術・戦略の編み出し方がわかるプロの教科書!「勝つための考え方」「期待値でトレードする方法」「ポジションサイジング」の奥義が明らかになる!本物のプロを目指す人への必読書!

ウィザードブックシリーズ 160

タープ博士のトレード学校

定価 本体2,800円+税　ISBN:9784775971277

スーパートレーダーになるための自己改造計画

『新版　魔術師たちの心理学』入門編。さまざまな質問に答えることで、トレーダーとして成功することについて真剣に考える機会が与えられるだろう。

ウィザードブックシリーズ215

トレードコーチとメンタルクリニック

定価 本体2,800円+税　ISBN:9784775971819

あなたを 自己発見の旅へといざなう

己の内面を見つめ、意思決定に大きな影響を及ぼしている考えや信念や認識から解き放てば、成績を向上させ、スーパートレーダーへの第一歩となる。

ジェイソン・ウィリアムズ

ジョンズ・ホプキンス大学で訓練を受けた精神科医。下位専門分野として心身医学の研修も受けており、世界的に有名な人格検査NEO PI-R については共同開発者のひとりから実施方法と分析方法を直接学んだ。バージニア州北部在住で、精神科の入院患者と外来患者の両方を診療している。顧客のなかには、良い精神状態を保つことで資産の運用効率を最大にしたい富裕層も含まれている。

ウィザードブックシリーズ210

トレーダーのメンタルエッジ

自分の性格に合うトレード手法の見つけ方

定価 本体3,800円+税　ISBN:9784775971772

最強のトレード資産である
あなたの性格をトレードに活用せよ!
己を知ることからすべてが始まる!

トレードには堅実な戦略と正確なマーケット指標が欠かせない。しかし、この2つがいざというときにうまく機能するかどうかは、その時点におけるあなたの心の状態で決まる。つまり、不利な状況で最高のトレードシステムが砂上の楼閣のごとく崩壊するかどうかは、あなた次第なのである。

トレードで長期的な成功を収めるためのカギ

- あなたにはシステムトレードと裁量トレードのどちらに向いているのかを見極める
- リスクを恐れる原因を理解することでそれを克服する
- 1日の初めにトレードに対する生来の不安を静める
- 利益率を上げるための「ツール」として楽観主義を利用する
- すべてのトレードについて仕掛ける理由を毎回慎重に考えることができる

■まえがき (ラリー・ウィリアムズ)

親というのは、自ら子供に人生の教訓を与えたいと思っている。そして、子供から学ぶことはあまりないと思っている。自分も同じ道を通ってきたからだ。私も親として、きっかけを見つけて道筋を示さなければならない、と思ってきた。ところが、息子のジェイソン・ウィリアムズが書いた本書を読んで、その考えは一変した。　私は、マーケットで50年近くトレードしているが、本書を読んで息子から教えられた。子供が先生になったのだ。・・・

トム・バッソ

トレンドスタット・キャピタル・マネジメントの株式と先物の元トレーダー。1980年から株式の運用を始めて年平均16％、1987年から先物の運用し始めて年平均 20％の実績を残す。『新マーケットの魔術師』で取り上げられ、どんな事態でも冷静沈着に対応する精神を持つ「トレーダーのかがみ」として尊敬を集めた。

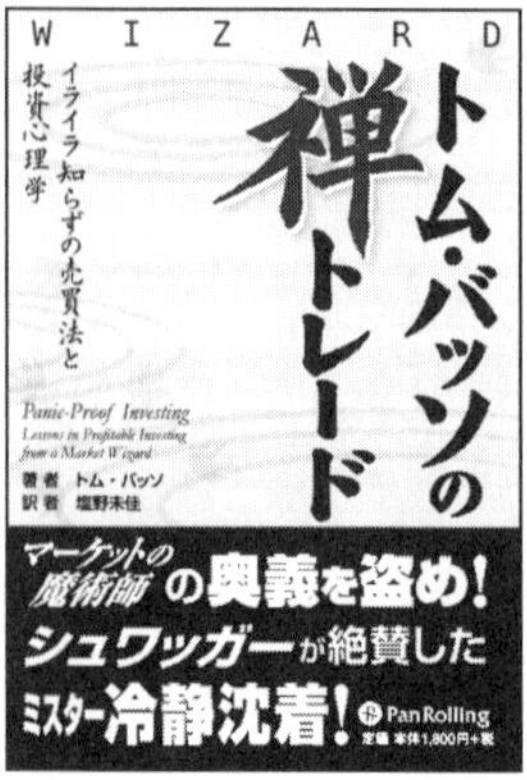

ウィザードブックシリーズ 176

トム・バッソの禅トレード

定価 本体1,800円+税　ISBN:9784775971437

投資で成功する心構えと方法とは

資産運用ビジネスをしていて良かった。そう感じることが何度もある。このような本を執筆できるのもそのひとつだ。他人の資産を運用し始めてかれこれ一七年になるが、今でも多くの人が自分の資金をうまく管理運用できていないことに驚いている。わたしは投資のことで試行錯誤を続けている多くの人と出会った。資産運用業界に対しては手厳しい人が多いが、なかにはもっともな理由がある場合もあるが、そのほかの人は単に知識がないだけであり、資産運用という問題にどう対処したらよいのか分からないようだ。 ―――――――――― はじめに (トム・バッソ)

目次

エイドリアン・トグライ

「トレーダーズコーチ」としてトレード業界で豊富な指導経験を持ち、特に心理 面に深刻な悩みを抱えたトレーダーたちを多く成功に導いてきた。世界の主要投 資カンファレンスでの講演、メディア、ラジオ、テレビへの出演など、第一線で 活躍している。

ウィザードブックシリーズ 124

NLPトレーディング
投資心理を鍛える究極トレーニング

定価 本体3,200円+税　ISBN:9784775970904

自分の得意技を最大限に極める

トレーダーとして成功を極めるため必要なもの…それは「自己管理能力」である。優れたトレード書の充実、パソコンの高機能化、ネット環境の向上によって、 個人トレーダーでも独自の売買アイデアを具現化し、検証し、実践することが容易になってきた。ところが、それでも安定した収益を達成できず、悪戦苦闘しているトレーダーは多い。その大きな理由のひとつに挙げられるのが「心の問題」である。

■目次

ウィザードブックシリーズ 173

トレードのストレス解消法
毎日5分で克己心を養う相場心理学

定価 本体2,800円+税　ISBN:9784775971406

売買ルールには自信がある。
でも、なかなか勝てない、続けられない……。

トレーダーにとって「最難関」の壁は 負の人生経験が作り出す「心の障壁」である。本書の目的は、さまざまな心の問題を抱えるトレーダーに、解決策や改善策を提　示し、洞察、平穏、一筋の光をもたらすことにある。いずれの章も五分で読めるよう、簡潔にまとめた。本書を読み、やる気を高めることで、トレードに対する 心の準備をしてもらえればと思う。